D1634600

BETTY

OUVRAGES DE GEORGES SIMENON

AUX PRESSES DE LA CITÉ

COLLECTION MAIGRET

Mon ami Maigret
Maigret chez le coroner
Maigret et la vieille dame
L'amie de Mme Maigret
Maigret et les petits cochons sans queue
Un Noël de Maigret
Maigret au « Picratt's »
Maigret en meublé
Maigret, Lognon et les gangsters
Le revolver de Maigret
Maigret et l'homme du banc
Maigret a peur
Maigret se trompe
Maigret à l'école
Maigret et la jeune morte
Maigret chez le ministre
Maigret et le corps sans tête
Maigret tend un piège
Un échec de Maigret
Maigret s'amuse
Maigret à New York
La pipe de Maigret et Maigret se fâche
Maigret et l'inspecteur Malgracieux
Maigret et son mort
Les vacances de Maigret
Les Mémoires de Maigret
Maigret et la Grande Perche
La première enquête de Maigret
Maigret voyage
Les scrupules de Maigret
Maigret et les témoins récalcitrants
Maigret aux Assises
Une confidence de Maigret
Maigret et les vieillards
Maigret et le voleur paresseux
Maigret et les braves gens
Maigret et le client du samedi
Maigret et le clochard
La colère de Maigret
Maigret et le fantôme
Maigret se défend
La patience de Maigret
Maigret et l'affaire Nahour
Le voleur de Maigret
Maigret à Vichy
Maigret hésite
L'ami d'enfance de Maigret
Maigret et le tueur
Maigret et le marchand de vin
La folle de Maigret
Maigret et l'homme tout seul
Maigret et l'indicateur
Maigret et Monsieur Charles
Les enquêtes du commissaire Maigret (2 volumes)

ROMANS

Je me souviens
Trois chambres à Manhattan
Au bout du rouleau
Lettre à mon juge
Pedigree
La neige était sale
Le fond de la bouteille
Le destin des Malou
Les fantômes du chapelier
La jument perdue
Les quatre jours du pauvre homme
Un nouveau dans la ville
L'enterrement de Monsieur Bouvet
Les volets verts
Tante Jeanne
Le temps d'Anaïs
Une vie comme neuve
Marie qui louche
La mort de Belle
La fenêtre des Rouet
Le petit homme d'Arkhangelsk
La fuite de Monsieur Monde
Le passager clandestin
Les frères Rio
Antoine et Julie
L'escalier de fer
Feux rouges
Crime impuni
L'horloger d'Everton
Le grand Bob
Les témoins
La boule noire
Les complices
En cas de malheur
Le fils
Le nègre
Strip-tease
Le président
Dimanche
La vieille
Le passage de la ligne
Le veuf
L'ours en peluche
Betty
Le train
La porte
Les autres
Les anneaux de Bicêtre
La rue aux trois poussins
La chambre bleue
L'homme au petit chien
Le petit saint
Le train de Venise
Le confessionnal
La mort d'Auguste
Le chat
Le déménagement
La main
La prison
Il y a encore des noisetiers
Novembre
Quand j'étais vieux
Le riche homme
La disparition d'Odile
La cage de verre
Les innocents

MÉMOIRES

Lettre à ma mère
Un homme comme un autre
Des traces de pas
Les petits hommes
Vent du nord vent du sud
Un banc au soleil
De la cave au grenier
A l'abri de notre arbre

GEORGES SIMENON

BETTY

PRESSES DE LA CITÉ
PARIS

ISBN 2-258-00279-6

1

— VOUS désirez manger quelque chose ?

Elle fit non de la tête. Il lui semblait que la voix qu'elle entendait n'avait pas un son naturel, comme si on avait parlé derrière une vitre.

— Remarquez que quand je dis manger quelque chose, cela veut dire du lapin, car, comme vous pouvez le voir autour de vous, aujourd'hui c'est le jour du lapin. Tant pis si vous n'aimez pas ça. Lorsque c'est le jour de la morue, il n'y a que de la morue...

C'était drôle d'entendre les syllabes se suivre, s'enchaîner, former des mots, des phrases, un peu à la façon du fil qui se transforme petit à petit en dentelle ou de la laine en chaussette tricotée.

Cette image d'une chaussette tricotée, à moitié terminée, pendant à ses trois aiguilles, la fit sourire. C'était inattendu d'évoquer un objet aussi vulgaire ici, en face d'un homme qui tenait visiblement à être distingué et qui prenait tant de soin à construire ses phrases. Il était vêtu de gris. Il était tout gris : ses yeux, ses cheveux, sa peau, même sa cravate et sa chemise. On ne voyait pas une tache de couleur. Et, en l'écoutant, elle venait de penser à une chaussette non pas grise, mais noire, parce qu'elle n'avait jamais vu tricoter que des chaussettes noires, bien longtemps auparavant, en Vendée, quand elle n'avait pas quatorze ans. Comme elle en avait maintenant vingt-huit...

— C'est une habitude à prendre.

Elle faillit questionner :

— Quelle habitude ?

Car sa pensée suivait plusieurs directions à la fois. Elle ne saisissait pas le rapport entre l'habitude à prendre et la chaussette de laine, oubliant que la chaussette, c'était dans son souvenir à elle et non dans celui de son compagnon. La question n'en avait pas moins dû se lire sur son visage car l'homme poursuivait sans se décourager, avec une touchante application :

— D'aimer ou de ne pas aimer.

D'aimer quoi ? Elle avait oublié le lapin et la morue. Son regard croisait une fois de plus celui d'un officier américain assis sur un des tabourets du bar. Il ne cessait de la dévisager et elle se demandait où elle l'avait déjà vu.

— Le mercredi, c'est le jour du cassoulet, encore qu'il serait plus exact de parler de la nuit du cassoulet.

Au sourire mince de son interlocuteur, elle devinait que la distinction était subtile et elle aurait bien voulu le suivre.

— En êtes-vous friande ?

Friande ? C'était de plus en plus comique, cette conversation à laquelle elle finissait par ne plus rien comprendre. On mélangeait tout. Mais tant pis. Elle disait gravement :

— Oui.

Elle ne savait pas de quoi il s'agissait au juste, mais elle tenait à ne pas être impolie. Cet homme trop bien habillé, au regard d'une acuité fascinante, elle ne le connaissait pas. Elle ignorait son nom. Elle n'en était pas moins plus proche de lui qu'elle ne l'avait jamais été de personne, en définitive, puisque aussi bien, en dehors de lui, il n'y avait plus rien au monde.

Cela paraissait invraisemblable, mais c'était ainsi ça. Cela durerait ce que cela durerait, une heure, ou une nuit, ou plus longtemps. Et cette idée la faisait sourire, d'un sourire qui, pour le moment, était sans amertume. Il était très poli. Dans l'auto, il n'avait pas essayé de la caresser et il ne lui avait pas posé une seule question.

Car elle se souvenait de l'auto, du cuir souple et frais des sièges, de la pluie sur le pare-brise et sur les vitres embuées où elle faisait machinalement des dessins du bout des doigts. Elle revoyait, en ville, les lumières qui se concentraient dans chaque goutte d'eau, puis les phares, sur l'autoroute. Elle aurait pu raconter dans les moindres détails, comme chez un juge d'instruction ou chez un médecin, tout ce qui était arrivé depuis...

Depuis quand ? Depuis le bar de la rue de Ponthieu, en tout cas. Remonter plus loin était trop désagréable et elle refusait d'y penser. Il ne fallait pas gâcher une chose si difficile à obtenir et encore plus difficile à conserver : cet état d'équilibre précis, plus exactement, de flottement parfait, qui était le sien pour l'instant, un flottement agréable, reposant, presque joyeux.

Pas joyeux dans le sens habituel du mot, évidemment. Elle n'avait pas envie de rire, ni de se mettre à danser ou à raconter des histoires. Ce qu'il y avait d'exaltant, c'est qu'elle ne savait rien, rien de ce qui viendrait après, ni cette nuit, ni demain, ni les autres jours, et qu'elle s'en moquait.

— Je m'étonne que les gens qui absorbent chaque jour des animaux ne se demandent pas...

Elle écoutait, fixant le visage de l'homme qu'elle voyait comme à travers une loupe, mais, malgré sa bonne volonté, d'autres pensées lui trottinaient par la tête.

Avant de quitter la rue de Ponthieu, elle aurait dû demander à son compagnon de l'attendre un instant afin de descendre au lavabo, où la préposée aurait sans doute eu une paire de bas à lui vendre. Elles en ont presque toutes.

Cela la tracassait d'avoir une échelle à chaque jambe. Pour la première fois de sa vie, elle n'avait pas changé de bas depuis une éternité. Deux jours ? Trois jours ? Elle ne tenait pas à s'en souvenir. Elle n'avait pas pris de bain non plus, ce qui la gênerait tout à l'heure. Y aurait-il une baignoire, et lui donnerait-il le temps d'y passer ?

Elle apercevait des visages, très près ou très loin, des cheveux, des yeux, des nez, des bouches qui remuaient, et elle entendait des voix qui ne venaient pas toujours de ces bouches-là. Elle essayait de se rendre compte, sans trop y parvenir, du genre d'endroit où elle se trouvait et, sans y penser, saisissait son verre de whisky.

— A votre santé !

Il y avait une femme blonde, une serveuse, derrière le bar, avec de gros seins comme, petite fille, elle aurait tant voulu en avoir. Il y avait aussi un nègre coiffé d'un bonnet blanc qui surgissait, souriant, tantôt par une porte, tantôt par l'autre, et que tout le monde paraissait connaître. Il y avait l'officier américain qui, accoudé au bar, tenant son verre à la main sans jamais le lâcher, la regardait toujours.

Des gens mangeaient et d'autres se contentaient de boire, les uns à plusieurs, d'autres, solitaires, qui regardaient devant eux en silence.

— L'idée ne vous est jamais venue que, par le fait, nous sommes pleins d'animaux ?

Elle avait conscience de son ivresse. Elle était ivre depuis longtemps mais, pour le moment, elle profitait d'une bonne passe. Elle ne se sentait pas malade, n'avait envie ni de vomir ni de pleurer. Son compagnon était-il ivre aussi ? Avait-il déjà bu, avant leur rencontre au Ponthieu ?

Il était venu comme ça, de la rue obscure, avec des gouttes de pluie sur le tweed de ses vêtements. Là aussi, c'était un habitué, on le sentait à sa façon de regarder autour de lui et de saluer le barman d'un signe.

Elle était assise sur un tabouret et il lui avait demandé la permission d'occuper le tabouret voisin.

— Je vous en prie.

Ses mains étaient longues et blanches, très sèches, et il jouait tout le temps avec elles comme si elles étaient des objets étrangers.

Lui non plus ne savait ni d'où elle sortait ni ce qu'elle avait bu avant. Peut-être n'avait-il pas remarqué les échelles de ses bas ? En tout cas, il ne pouvait deviner qu'elle n'avait pas pris de bain, qu'elle n'avait même pas pu se laver après l'homme de l'après-midi.

Ils n'étaient plus rue de Ponthieu. Elle ignorait où ils se trouvaient. Elle avait seulement reconnu l'avenue de Versailles, où elle avait entrevu la maison de sa mère, puis ils avaient pris l'autoroute, tourné à droite dans un chemin boueux. En sortant de la voiture, elle avait senti une odeur de feuilles mouillées, sauté par-dessus une flaque d'eau. Il restait d'ailleurs de l'eau dans son soulier gauche.

Ils étaient dans un restaurant, puisqu'on y mangeait. Un bar aussi. Il y avait, assourdie, la musique d'un pick-up que personne n'écoutait. Elle conservait pourtant l'impression que ce n'était pas un établissement comme un autre et que tout le monde la regardait.

Tous ces gens-là, y compris l'officier américain, avaient l'air de se connaître, même et surtout s'ils ne s'adressaient pas la parole, et le patron allait d'une table à l'autre, s'asseyait un moment sans la quitter des yeux, lui aussi. Elle n'était pas décoiffée. Elle n'avait pas de noir sur le nez. Son tailleur était plus que décent. Il y avait bien ses bas, mais cela arrive à toutes les femmes.

Peut-être aurait-elle dû être présentée, acceptée ? Ou peut-être devait-elle passer une épreuve ?

— Ça va, docteur ?

Le patron, cette fois, mais en restant debout, s'adressait à son compagnon et celui-ci battait des cils sans se donner la peine de répondre, regardait à nouveau ses mains posées à plat sur la table et se mettait à gratter soigneusement la peau entre deux doigts.

— Vous ne m'écoutez pas...

C'était à elle qu'il parlait, car le patron était déjà ailleurs.

— Je vous assure que j'écoute.

— Qu'est-ce que je disais ?

— Qu'à force de manger des animaux...

Il la regardait fixement et elle se demandait si c'était la bonne réponse. Elle devait l'avoir vexé, car il se levait en murmurant :

— Vous m'excusez un instant ?

Il se dirigeait à grands pas vers une des portes. Le patron en profitait pour se rapprocher, ramasser les deux verres vides.

— La même chose ?

Lui aussi, il lui semblait qu'elle l'avait déjà vu. C'était une manie, cette nuit. Non seulement en ce qui concernait les personnes, mais encore pour les objets. Tout cela lui rappelait quelque chose. Mais quand ? Mais où ?

— C'est la première fois que vous venez au Trou ?

— Oui.

Elle ignorait que l'endroit s'appelait le Trou et elle se demandait si ce n'était pas une blague, ou un piège, si elle n'avait pas eu tort de répondre sérieusement.

— Il y a longtemps que vous connaissez le docteur ?

— Non.

— Vous ne désirez pas manger ?

— Merci. Je n'ai pas faim.

— Faites comme chez vous. Ici, les gens sont chez eux.

Elle lui sourit pour le remercier de lui avoir adressé la parole et, par contenance, but la moitié de son verre, ouvrit son sac et se mit de la poudre. Son visage était bouffi. Elle préféra ne pas le regarder dans le petit miroir qui lui montrait en même temps une femme très brune et surtout très grande assise derrière elle.

— Quand vous connaîtrez mieux l'endroit, vous ne pourrez plus vous passer d'y venir.

Son compagnon, l'air étrangement concentré, avait repris sa place en face d'elle.

— Je vous demande pardon de vous avoir laissée seule.

Elle essayait, sans y parvenir, d'entendre ce qu'on disait derrière elle, persuadée que c'était d'elle qu'il s'agissait. A son tour, elle se leva en murmurant :

— Vous permettez ?

En gagnant le lavabo, elle se trouva face à face avec le nègre qui la regarda en riant d'un large rire silencieux, comme si c'était une aventure comique de la rencontrer tout à coup dans un étroit couloir. Il ne lui fit pourtant rien, s'effaça en riant de plus belle, et elle découvrit une cuisine sale, tout en désordre. Une porte qui ne fermait pas bien la séparait des toilettes, dont la lucarne donnait sur la campagne.

Elle commençait à s'impatienter, sans raison

précise, peut-être aussi à avoir un peu peur. Il était temps de boire un autre verre pour se maintenir à la surface avant d'être ensevelie par l'anxiété ou par la tristesse.

Quand elle rentra dans la salle, avant même de s'asseoir, elle avala le reste de son whisky.

— J'ai soif ! soupira-t-elle.

Son compagnon appela :

— Joseph ! Servez à boire à madame.

— La même chose ?

Elle dit oui.

— Pour vous aussi, docteur ?

— Si vous voulez.

Elle avait à nouveau envie que ça aille vite, envie d'être étendue, seule ou non, n'importe où, et de fermer les yeux. La musique, le brouhaha la fatiguaient. Elle en avait assez de voir des têtes, des yeux qui la regardaient comme si elle était un phénomène ou une intruse.

— Pourquoi vous grattez-vous ?

Décidément, elle était toujours un peu en retard sur la question.

— Moi ? s'étonnait-elle après un temps qui lui parut très long.

Peut-être s'était-elle gratté le dos de la main. Elle ne s'en était pas aperçue. Or, l'homme saisissait cette main avec une avidité contenue cependant que son visage exprimait soudain une jubilation enfantine.

— C'est ici, n'est-ce pas ?

Il désignait un point invisible.

— Oui... Je suppose...

— Sous la peau ?

Il l'effrayait soudain et, pour ne pas le contrarier, elle répondait toujours oui.

— Il rampe ?

— Qu'est-ce qui rampe ?

— Il gravite en surface ou en profondeur ? C'est fort important, car ils ont chacun leur caractère. J'en connais qui...

— De quoi parlez-vous ?

— Des vers.

— Quels vers ?

— Ainsi, vous ignorez encore que vous avez des vers sous la peau, des vers de toutes sortes, des minuscules et des énormes, des gros et des minces, des remuants et des placides ? Vous avez sans doute aussi d'autres petites bêtes, infiniment plus subtiles, que je vous montrerai et dont je vous dévoilerai le caractère...

Elle voyait de tout près le visage mince et incolore, les cheveux gris bien lissés, les yeux presque du même gris et elle avait tout à coup la révélation de quelque chose d'anormal. Elle aurait voulu retirer sa main ; elle s'y efforçait, mais il la tenait avec fermeté.

— Vous allez voir comme je traque ces bestioles qui nous torturent si diaboliquement...

De sa main libre, il prenait, dans sa poche, un cure-dent en or à pointe effilée.

— N'ayez pas peur. J'ai l'habitude.

Une voix prononçait :

— Laissez-la tranquille, docteur.

Il n'en essayait pas moins de piquer la peau.

— Je vous répète de la laisser tranquille.

— Je lui enlève juste un petit ver qui la fait souffrir et...

Le patron faisait un pas de plus, posait, comme amicalement, sa main sur l'épaule du docteur.

— Venez un instant avec moi.

— Tout à l'heure. Elle m'a demandé...

— Venez.

— Pourquoi ?

— Un message confidentiel.

L'homme gris levait les yeux, hésitant.

— Tu as peur que je lui fasse mal ? Tu oublies que j'ai...

Son sourire était amer, résigné. Il était pourtant grand, le patron petit et râblé. Une seconde plus tard, il était debout, son cure-dent à la main et, humilié, il se laissait pousser vers la porte de derrière.

Betty regarda ses mains, troublée, inquiète, vida son verre puis, avec un haussement d'épaules, celui de son compagnon. Elle ne savait toujours pas qui il était. Elle ne savait rien. Elle ne savait plus rien et elle commençait à se sentir envahie par la panique. L'officier américain, au bar, la regardait sans sourire, lugubre.

— Garçon !

— Oui, madame.

— Donnez-moi à boire.

Il ne lui demandait plus si elle désirait la même chose. Elle était pressée. Plus vite ce serait fait, tant mieux. Les images devenaient troubles. Il y avait des cheveux roux, par exemple, qui pouvaient être très près d'elle ou au fond de la salle et elle ne savait pas s'ils appartenaient à une femme ou à un homme. Elle devait faire un effort pour mettre ses pupilles au point et alors elle découvrait des visages figés, indifférents, qui étaient peut-être des figures de cire.

On lui en voulait, sans qu'elle parvienne à démêler pourquoi.

Elle avait dû commettre une faute, enfreindre les règles de l'établissement. Comment aurait-il pu en être autrement, puisqu'elle ne connaissait pas ces règles ? Pourquoi ne les lui enseignait-on pas ?

Ce n'était pas en buvant qu'elle les offensait. La preuve, c'est que le patron lui-même avait appelé Joseph une première fois et que d'autres buvaient autant sinon plus qu'elle. Une jeune femme aux cheveux incolores, dans un coin de banquette, était livide, la tête renversée en arrière, et son compagnon, qui lui tenait la main en amoureux, ne paraissait pas s'en préoccuper.

Qu'arriverait-il si Betty se mettait à crier ? Elle en eut la tentation, pour voir ce qui se passerait, pour que ça change, pour qu'on s'occupe enfin d'elle autrement qu'en l'observant.

Et si elle leur lâchait tout ce qu'elle avait fait depuis trois jours ? Est-ce que les visages prendraient enfin une expression humaine ? Est-ce qu'il y aurait de la compassion, ou simplement un petit peu d'intérêt dans tous ces yeux de poisson ?

Sa main tremblait en fouillant son sac.

— Garçon !

— Oui, madame. La même chose ?

Cela prouvait une fois de plus que ce n'était pas la boisson qui était en cause !

— Vous avez des cigarettes ?

— Un instant.

On entendait un moteur, dehors, une auto qui s'éloignait, qui avait du mal à décoller de la boue. Une voix dit :

— Mario va le reconduire.

Betty ne sut pas tout de suite que c'était à elle que ces mots s'adressaient, car on avait parlé dans son dos. Presque en même temps, elle découvrait une main de femme qui lui tendait une cigarette.

Elle se tourna à moitié. La grande brune, qui

avait une mèche blanche dans les cheveux, était debout et, touchant la chaise que le docteur avait occupée, demandait :

— Vous permettez ?

Elle avait la voix rauque, des perles grises autour du cou. Peut-être le dernier whisky avait-il été de trop, car les images devenaient de moins en moins nettes, comme l'après-midi dans la chambre, avant même que l'homme soit rhabillé. Elle ne l'avait pas vu partir. Il aurait pu emporter son sac à main, ses vêtements. Il aurait pu l'étrangler et elle aurait été incapable de fournir son signalement. Bien sûr, si elle avait été étranglée. Mais...

Elle s'embrouillait. Les sons s'emmêlaient. Son corps, sur la chaise, était pris d'un balancement qu'elle ne parvenait pas à contrôler. Qu'il devienne un peu plus fort et elle tomberait par terre parmi les pieds et les bouts de cigarette. C'est alors qu'elle serait drôlement sale !

— Il vous a fait peur ?

Qui ? Pourquoi ? C'était comme si elle avait déjà oublié l'homme en gris.

— C'est un charmant garçon, et même un homme de valeur.

La femme avait apporté son verre avec elle.

— A votre santé.

— A la vôtre.

— J'espère que vous avez compris qu'il se drogue ? Quand il vous a quittée, tout à l'heure, c'était pour aller se piquer et ce n'était pas la première fois de la soirée. Vous le connaissez ?

— Non.

— Il s'appelle Bernard. Il était médecin à Versailles.

Médecin à Versailles. Elle entendait encore, saisissait le sens des mots. Ce qui lui échappait, c'est le rapport que ces mots pouvaient avoir avec elle. Pourquoi lui disait-on ça, gravement, comme si c'était important ou dramatique ? La femme, elle, avait sûrement remarqué les échelles à ses bas. Peut-être avait-elle découvert qu'elle n'était pas très propre sous son maquillage ?

Elle avait de beaux yeux bruns d'écureuil et sa voix basse, cassée, était rassurante.

Betty essaya de fermer les yeux pour se concentrer, dut les rouvrir aussitôt parce que tout se mettait à tourner.

— J'ai soif... murmura-t-elle.

On lui tendit un verre, le sien ou un autre, cela n'avait pas d'importance.

— Vous avez dîné ?

— Je crois.

— Vous n'avez pas faim ?

— Non.

— Vous ne voulez pas prendre l'air ?

— Non.

Elle ne pouvait pas, parce qu'elle était incapable de marcher. Si elle tentait de se mettre debout, elle était sûre de tomber. Elle tomberait quand même tout à l'heure, bien entendu, tôt ou tard, mais elle préférait que ça ne se passe pas quand elle avait encore sa conscience.

Qu'importe où elle se réveillerait, à l'hôpital ou ailleurs. Et ce serait encore mieux pour tout le monde si elle ne se réveillait pas du tout. Elle le pensait vraiment. Elle n'était pas triste. Il y avait longtemps que la tristesse était dépassée.

— Vous avez une touche avec Alan. Depuis que vous êtes entrée, il ne vous quitte pas des yeux et il ne se rend pas compte qu'il en est à son huitième scotch.

Betty s'efforçait de sourire, en personne bien élevée qui écoute.

— J'entends Mario qui revient.

Elle entendait une auto, elle aussi, puis le claquement d'une portière, le bruit de la pluie pendant le peu de temps que la porte restait ouverte. Dans quelle auto?... Il y avait un problème. Si Mario avait pris l'auto du docteur...

— Tu as réussi à le coucher?

— Sa femme m'a aidé.

— Il n'a pas trop protesté?

— Il est déjà en train de compter les lapins qui ont envahi sa chambre.

Elle voyait bien qu'ils échangeaient un coup d'œil, qu'il était question d'elle, que la femme brune haussait légèrement les épaules comme pour dire que ce n'était pas grave. Cela lui était égal et elle ne cherchait pas à deviner ce qu'ils complotaient.

Elle répétait sans raison :

— Des lapins...

Et, croyant à une question, on lui expliquait :

— Quand il est comme ça, il voit toutes sortes d'animaux autour de lui, sans compter les petites bêtes qui grouillent sous sa peau et qu'il s'efforce d'extraire avec son cure-dent. Au temps où il pratiquait encore, vers la fin, il affirmait à ses clients que tous leurs maux venaient de ces bestioles invisibles dont il se faisait fort de les débarrasser...

Qui ? Quoi ? Débarrasser quoi ? C'était trop tard, à présent. A un verre près, à une gorgée près peut-être, elle aurait pu garder son euphorie de tout à l'heure.

Elle avait mal ! Nulle part ! Partout ! Elle était sale. Elle était misérable. Et il n'y avait personne, personne au monde. Elle avait signé. Elle les avait donnés. Même pas donnés : vendus, puisqu'elle avait accepté le chèque. Un papier en bonne et due forme, dont le notaire avait dicté les termes par téléphone.

Je soussignée, Elisabeth Etamble...

Elle avait été obligée de recommencer sur une autre feuille, parce qu'elle avait d'abord écrit Betty.

Je soussignée, Elisabeth Etamble, née Fayet, 28 ans, sans profession, demeurant 22 bis, ave-

nue de Wagram, à Paris, reconnaît par la présente...

Comment n'aurait-elle pas reconnu, puisque c'était vrai et qu'elle avait été prise sur le fait ?

Son verre était à nouveau vide. Il était toujours vide. Elle cherchait le garçon des yeux, un peu honteuse de commander à boire devant cette femme qu'elle ne connaissait pas.

— J'ai besoin de me saouler, expliqua-t-elle.

Elle ajoutait, à cause du mot vulgaire qu'elle avait employé :

— Je vous demande pardon.

— Je sais ce que c'est.

Elle ne savait rien. Peu importe.

— La même chose, garçon.

Et elle se mettait soudain à expliquer avec volubilité, en manquant des syllabes comme on manque des marches d'escalier :

— Vous savez, je ne le connaissais pas du tout. Nous avons été présentés tout à l'heure par des amis dans un bar...

Ils n'avaient pas été présentés, pas plus que l'homme de l'après-midi ou celui de la veille. Pourquoi éprouvait-elle le besoin de raconter des histoires ? Parce que c'était une femme qui était assise en face d'elle ?

Cette femme, d'ailleurs, ne la croyait pas, c'était visible. Elle hochait la tête comme pour approuver, mais c'était par politesse, parce qu'elle était bien élevée.

La fille pâle dormait, dans son coin de banquette, et son compagnon, qui avait pu libérer sa main, bavardait avec le patron en fumant une cigarette.

Pour Betty, cela ne se passerait pas aussi facilement. D'abord, il n'y avait personne pour lui tenir la main. Ensuite, elle allait être malade. Ce n'était plus qu'une question de minutes, elle en avait conscience. Son torse oscillait de plus en plus, au point que, sans en avoir l'air, elle se tenait à la table.

— Vous habitez dans les environs ?

Elle fit non de la tête, en ayant soin de ne pas trop la secouer.

— A Paris ?

Ni à Paris ni ailleurs. Elle n'habitait nulle part. Pourquoi cette femme s'acharnait-elle ? Si elle ne s'était pas assise à sa table, l'Américain y serait probablement venu. Il devait avoir une auto qui attendait dehors. Il aurait emmené Betty quelque part où il y aurait eu un lit. Il l'aurait peut-être questionnée aussi, mais, avec lui, elle aurait répondu n'importe quoi et il se serait attendri.

Peut-être, d'ailleurs, qu'avec lui elle n'aurait pas été malade, ne fût-ce que par respect humain, et aussi parce qu'elle aurait enfin eu un bain.

Elle ne savait pas l'heure. Il y avait trois jours et trois nuits qu'elle ne savait plus l'heure, que la lumière du jour et l'obscurité n'avaient plus de sens. Tout était mélangé.

En face d'elle, la femme brune parlait à mi-voix, et cela faisait le même son que des prières dans une église.

— A votre gauche, le chauve qui fume un cigare, c'est un lord anglais qui possède une propriété à Louveciennes et qui, chaque nuit...

Cette femme-là devait avoir vingt ans de plus qu'elle. Elle semblait avoir beaucoup vécu, connu toutes sortes de gens, surtout des gens bizarres.

— Madame ! lui cria-t-elle soudain.

Elle n'avait pas réfléchi. Elle avait voulu l'appeler au secours, lui dire, par exemple :

— Tenez-moi !... Faites n'importe quoi...

Que ça s'arrête ! Qu'elle ne pense plus ! Que quelqu'un lui tienne la main, l'oblige à dormir, veille sur son sommeil, que quelqu'un, un être humain quelconque, soit là quand elle rouvrirait les yeux.

Est-ce qu'elle avait vraiment parlé ? Des sons étaient-ils sortis de sa gorge ? Elle était à peu près sûre d'avoir dit :

— Madame !

Or, on ne la questionnait pas. On ne lui demandait rien. Il n'y avait plus de surprise, de curiosité sur le visage en face d'elle. Elle ne se trouvait pourtant pas dans un hôpital ou dans un asile où on voit les malades se dresser sur leur lit pour appeler au secours.

Elle était dans un bar. Des hommes et des femmes buvaient. Elle avait beau voir trouble, ils existaient et les bruits de verre, le *pick-up,* les voix étaient réels.

Alors, il lui sembla qu'on avait coupé le contact entre elle et les autres, qu'eux ne l'entendaient pas, ou encore que, pour une raison inconnue, ils ne voulaient pas l'entendre.

Elle était parmi eux mais elle n'existait pas plus que, l'après-midi, quand elle marchait dans les rues. Les gens passaient, passaient. Certains la frôlaient, la bousculaient parfois et il n'y en avait pas un pour s'apercevoir qu'elle était un être vivant.

— Vous comprenez ?

Elle avait écrit la lettre, tous les mots qu'on lui avait dictés. Elle avait signé. Elle s'était appliquée à mettre Elisabeth au lieu de Betty. Elle avait fourré le chèque dans son sac et il devait encore y être. Elle avait...

C'était trop. Elle n'en pouvait plus. Sa main cherchait le verre sur la table. Maladroite, elle le faisait tomber et il éclatait sur les carreaux rouges du sol.

Elle commença :

— Je vous...

Elle voulait dire :

— Je vous demande pardon.

Au lieu de ça elle serra les poings et hurla :

— Non ! Non ! Non ! Et non !

C'était fini. Fi-ni ! Il y a une limite à tout. Elle avait conscience que tout le monde la regardait, mais elle ne voyait personne en particulier, rien qu'un magma de chairs sans expression.

— Cela vous est égal, à vous, hein ?

Elle essayait de rire et en même temps elle sanglotait. Elle essayait de se lever et elle tombait par terre sans pourtant éclater comme le verre. Il y avait un pied de table à deux centimètres de son nez, des pieds de chaises tout autour d'elle, des pieds d'hommes et de femmes.

Elle avait honte de se mal conduire et, si elle en avait eu la force, elle leur aurait présenté des excuses. Elle savait que cela ne se fait pas, qu'elle était saoule, qu'elle n'aurait pas dû boire le dernier verre.

La table, les chaises s'éloignaient d'elle. On la tenait par les épaules. Ses pieds traînaient et elle reconnaissait les piles d'assiettes sales de la cuisine. Elle était sûre que le nègre était là. Elle essayait de le voir, sans y parvenir.

On parlait et elle n'essayait pas de comprendre ce qu'on disait. Elle gémissait doucement, car elle avait vraiment mal.

— Tu as une bande de gaze ?

— Il doit y en avoir là-haut dans le tiroir de la commode.

— Qu'est-ce qu'on en fait ?

— Qu'est-ce que tu penses ?
— Je l'emmène.
— Toi ?
— Pourquoi pas ?
— Au Carlton ?
Elle ressentit une douleur plus violente à la main quand on désinfecta la plaie qu'avait faite un morceau de verre.
— Tu crois qu'elle n'a pas besoin d'un médecin ?
— Pour quoi faire ?
— Tu es en état de conduire ?
— Porte-la seulement dans ma voiture.
Elle se croyait inconsciente. Elle ignorait qu'elle enregistrait tout, qu'elle retrouverait les mots dans sa mémoire, avec l'intonation, les bruits de la salle, de la cuisine, même l'odeur du lapin qui se mêlait à celle de l'alcool et des cigarettes.
Elle retrouverait aussi le goût de la pluie sur ses lèvres, d'autres odeurs, celle de l'auto, de ses cheveux mouillés, une odeur de vaches, quelque part.
— Attention à ta marche arrière.
— Oui.
— Tu as encore deux mètres de bon... Vas-y... Stop !...
L'auto fit un bond assez brutal et la femme brune, d'une main, alluma sa cigarette.

De la pluie. Des arbres. Des lumières. Des pavés.

Puis un portail avec de hautes colonnes blanches et deux hommes en uniforme bleu qui se précipitaient.

— Vous donnerez le 53 à mon amie qui n'est pas bien.

Sa tête ballottait, inerte, tandis qu'on la transportait, et un ascenseur se mit mollement en marche.

2

SES cils battirent, mais les paupières ne s'entrouvrirent pas assez pour laisser pénétrer les images. En même temps la moue boudeuse s'effaçait de ses lèvres et sa main, d'un geste paresseux, imprécis, repoussait les cheveux qui recouvraient presque tout son visage et qui lui chatouillaient la joue.

Refusant de s'éveiller, elle se blottissait en elle-même, cherchant le réconfort de sa propre chaleur, de son odeur, du mouvement de son sang dans ses veines, du passage rythmé de l'air dans ses narines qui se pinçaient à chaque aspiration.

A son insu, elle avait pris la position de l'enfant dans le ventre de la mère, comme pour donner moins de prise, pour former un tout sans faille, bien uni, inattaquable.

Elle savait déjà beaucoup de choses qu'elle ne voulait pas encore savoir réellement et elle faisait exprès de les repousser dans le vague, dans ce qu'elle appelait autrefois les limbes.

Enfant, c'était un jeu, agréable, parfois voluptueux, qu'elle jouait surtout quand la grippe la tenait au lit et qu'un peu de fièvre l'aidait à obtenir le décalage.

Aujourd'hui, il lui semblait que de rester dans cet état de quasi-innocence était un besoin, une nécessité vitale.

Elle avait mal à la tête, pas trop, pas autant qu'elle aurait pu s'y attendre, une douleur sourde, dont elle pouvait varier l'intensité et la nature en s'enfonçant plus ou moins, de telle ou de telle façon, dans l'oreiller.

Elle avait soif. Il y avait peut-être de l'eau sur la table de nuit mais, pour boire, il aurait fallu sortir de sa torpeur, ouvrir les yeux, affronter la réalité.

Elle préférait garder sa soif. Celle-ci s'accompagnait d'un arrière-goût qui lui rappelait son premier accouchement, quand elle avait eu si peur et qu'on lui avait fait des piqûres pour l'engourdir. A présent aussi toutes ses muqueuses étaient plus sensibles, comme endolories et, par moments, elle avait l'impression qu'elles enflaient, que tout son corps enflait, devenait léger presque au point de flotter dans l'espace.

On lui avait fait une piqûre, cette nuit, elle s'en souvenait très bien.

— *Vous pouvez nous laisser, Lucien.*

— Vous êtes sûre que vous n'avez besoin de rien. Vous ne voulez pas que je vous envoie la femme de chambre ?

La pièce où elle se trouvait n'avait pas été aérée depuis plusieurs jours et sentait le renfermé. Pas l'odeur fade de renfermé de la ville ; celle de la campagne, qui rappelle le foin humide. Quand, un peu plus tôt, le concierge et le portier avaient voulu allumer les lampes, la femme brune leur avait dit :

— Non ! Il ne lui faut pas trop de lumière. Laissez-moi seule avec elle. Ouvrez seulement la porte de communication avec ma chambre.

Les pas des hommes s'étaient éloignés. Betty était étendue sur un lit dont la couverture n'était pas faite. La femme s'était éloignée pour aller dans la chambre voisine où, d'après les bruits, elle se mettait à l'aise. Avait-elle peur que Betty vomisse sur sa robe ou la déchire en se raccrochant à elle ?

Betty avait été tentée de tricher, d'ouvrir les yeux un instant. Elle ne l'avait pas fait et peut-être, après tout, en aurait-elle été incapable. La femme brune revenait, la déshabillait avec des mains expertes, lui retirant tout, sa combinaison, son soutien-gorge, ses bas, puis, après une hésitation, son étroite culotte de nylon transparent.

Elle entrait dans la salle de bains, faisait couler l'eau et, avec l'habileté d'une infirmière, passait un gant de toilette savonneux sur le visage et le corps de Betty, rinçait avec de l'eau tiède additionnée d'eau de Cologne.

Elle ne disait rien, ne se parlait pas à elle-même, fredonnait de temps en temps, par inadvertance, des bribes d'une rengaine que le *pick-up* avait joué une bonne partie de la nuit.

— Et voilà, mon petit ! soupirait-elle enfin. Maintenant, on va essayer de se reposer sans penser à rien.

Sans la déplacer, elle parvenait à ouvrir le lit, à glisser le corps entre les draps frais et légèrement amidonnés.

Savait-elle que Betty enregistrait et qu'elle se souviendrait ? Quelle était l'expression de son visage pendant qu'elle la regardait un long moment à la lueur d'une seule petite lampe posée à l'autre bout de la chambre ?

Tout cela, Betty ne l'avait pas rêvé. Elle n'avait pas rêvé non plus les mots qui lui revenaient à la mémoire, avec leur intonation précise, les sons, les odeurs qui les accompagnaient :

— *Qu'est-ce que tu en penses ?*

— *Je l'emmène.*

— *Toi ?*

— *Pourquoi pas ?*

C'était Mario, le patron du Trou, et la femme brune qui parlaient en se tutoyant et leur familiarité, leur façon de se comprendre à demi-mot avaient frappé Betty.

— *Tu es en état de conduire ?*

Mario sentait le peuple, dru, un peu insolent. Il respirait une force tranquille et, quand il s'asseyait à la table des clients, il paraissait les prendre sous sa protection. N'avait-il pas surgi au moment précis où le docteur aux petites bêtes allait commencer à devenir désagréable et peut-être dangereux ?

Il ne s'était pas fâché, n'avait pas élevé la voix. Sans brutalité, fermement, il en avait débarrassé la jeune femme. Il s'était donné la peine de le reconduire.

— *Tu as réussi à le coucher ?*

— *Sa femme m'a aidé.*

Il n'y avait pas d'ironie dans sa voix, à peine une ironie amusée, lorsqu'il avait ajouté :

— *Il est en train de compter les lapins qui ont envahi sa chambre.*

Betty avait l'air à demi morte. Elle croyait avoir atteint le fond du désespoir et pourtant, à ce moment-là, elle s'était demandé si Mario était l'amant de la femme brune ou seulement un ami.

Elle retrouvait d'autres images, plus nettes, plus détaillées que quand elle les avait vues dans la réalité, la blonde du bar, par exemple, celle aux seins provocants, qui avait un énorme grain de beauté sur la joue et qui se passait sans cesse les mains sur les hanches comme si sa gaine remontait. Elle devait avoir une de ces peaux laiteuses qui marquent et qui, quand elle se déshabillait, gardait la trace des élastiques et des agrafes.

A un moment donné, la lumière s'était éteinte. Il restait une faible lueur dans la chambre, parce que la porte de communication était ouverte et que la femme brune n'avait pas encore éteint chez elle. Elle allait et venait en fumant. L'odeur de la cigarette était nette, différente de l'odeur qu'elle a d'habitude. De l'eau coulait dans une baignoire.

Betty était réellement malade. Son cœur battait à coups irréguliers, et il lui semblait parfois qu'il ne parviendrait pas à reprendre sa cadence. Qu'arriverait-il alors ? Elle mourrait ? Comme ça, d'une seconde à l'autre, sans s'en apercevoir ? Elle n'appelait pas. Elle était décidée à ne pas appeler, à mourir seule au besoin et elle était contente de savoir que son corps était enfin propre. Pas tout à fait. Presque. On avait même passé la serviette mouillée entre ses orteils.

Cela avait-il duré longtemps ? Elle gémissait, avait conscience de gémir, malgré elle, espérant que c'était assez faible pour ne pas qu'on l'entende.

Surtout que la dame dormait. Il faisait tout noir. Betty n'était plus sûre de ses sens. Entendait-elle vraiment un glissement de pantoufles sur le plancher, la respiration de quelqu'un qui s'approchait ? Est-ce qu'une main chaude saisissait son poignet ? Est-ce qu'une voix, la sienne, prononçait :

— *J'ai peur...*

— *Chut !... Ne vous agitez pas, mon petit...*

On prenait son pouls. Elle se rendait compte qu'on prenait son pouls. Pas seulement une fois, mais deux au moins, peut-être trois, avec des intervalles d'immobilité et de silence comme dans les chambres de grands malades.

Il n'y avait aucun bruit dans l'hôtel, aucun bruit dehors, sinon le crépitement de la pluie sur les persiennes que, de temps en temps, une bourrasque secouait. Elle n'osait pas réclamer de la lumière.

Un peu plus tard, il y en avait, non pas chez elle, mais à côté où, pour une raison mystérieuse, on allumait une lampe à alcool. Elle reconnaissait l'odeur. Son père vendait de l'alcool à brûler. Il était droguiste. Il était roux. Il éclatait de vie et se moquait des clientes qu'il imitait derrière leur dos. Il inventait des produits de nettoyage. Dommage que les Allemands l'aient fusillé à la fin de la guerre, on n'avait jamais su pourquoi.

Une main abaissait la couverture et Betty sentait une aiguille pénétrer dans sa hanche, un liquide s'écouler lentement en elle.

Comme à son premier accouchement. Pour le

second, elle avait refusé. C'était peut-être le même produit. Elle en éprouvait presque tout de suite un bien-être, un engourdissement qui laissait encore des parcelles vivantes dans son esprit.

On lui tenait la main. On prenait son pouls une fois de plus. Elle devait transpirer, car elle entendait couler le robinet et, un peu plus tard, une serviette froide était posée sur son front et sur ses yeux.

Elle aurait aimé dire merci mais, si ses lèvres remuaient, et elle n'en était pas sûre, il n'en sortait aucun son.

Après, il n'y avait plus rien. Ensuite, beaucoup plus tard, il y avait à nouveau quelque chose qui était peut-être vrai et qui était peut-être faux. C'était impossible de décider, parce qu'elle avait beaucoup rêvé. Pourquoi, si ce n'était pas vrai, se serait-elle souvenue de ce seul rêve, ne conservant des autres qu'une impression pénible, sans aucune image ?

C'était vers le matin. C'était forcément le matin, puisqu'elle entendait, dans le couloir, le garçon qui portait les petits déjeuners dans les chambres.

Elle aurait juré que l'odeur du café venait jusqu'à elle et, quand elle avait ouvert les yeux — si elle les avait ouverts — elle avait vu des lignes claires entre les rideaux. Le jour se levait ou était levé.

Un son qu'elle s'efforçait d'identifier lui arrivait de la pièce voisine dont la porte était toujours entrouverte, une respiration oppressée, dramatique, et elle s'était levée pour aller voir, elle avait fait quelques pas, la tête soudain douloureuse, et, sur un lit, elle avait aperçu deux corps nus qui faisaient l'amour.

Etait-il possible qu'on ne l'ait pas entendue, qu'on ne l'ait pas aperçue, qu'elle ait pu se recoucher sans bruit et que, presque instantanément, elle se fût rendormie ?

Elle ne tranchait pas la question. Dans son esprit, l'homme était Mario et il avait le corps très velu. Y avait-il longtemps de cela ? La journée était-elle déjà avancée ?

Elle n'avait pas envie de s'en préoccuper et elle s'efforçait de retrouver sa torpeur et son inconscience. Deux ou trois fois elle vit son père, en blouse blanche toujours tachée de couleurs, dans son arrière-magasin de l'avenue de Versailles, encombré de barils et de bonbonnes, qui sentait le pétrole et les acides.

Elle avait passé son enfance avec cette odeur-là, qui montait jusqu'à leur appartement du premier et que son père apportait dans les plis de ses vêtements aussi bien que dans ses cheveux flamboyants.

A l'école, quand elle était en première année, sa voisine, qui zézayait, avait demandé de changer de place en disant :

— Elle sent trop mauvais.

Son souffle reprenait un rythme plus lent, plus régulier. Ses lèvres s'entrouvraient sur ses petites dents que sa mère appelait des dents de souris. Sa main avait glissé peu à peu le long de son ventre et, comme quand elle était petite fille, sans presque s'en rendre compte, elle se caressait, peut-être pour s'isoler encore plus du monde extérieur, pour qu'il n'existe que l'univers de sa chair chaude et de ses sensations.

Elle était rendormie depuis longtemps quand un craquement lui fit ouvrir les yeux, et cette fois, elle ne se demanda pas si elle devait les ouvrir ou non. Debout entre la porte et le lit, elle vit la femme brune, en robe de chambre, qui paraissait beaucoup plus grande encore que la veille.

Est-ce que, la veille, Betty l'avait vue debout ? Elle s'était tout de suite trouvée assise à sa table et, plus tard, Betty, les yeux fermés, était incapable de...

— C'est moi qui vous ai éveillée ?

— Je ne sais pas.

— Je venais voir si vous n'aviez besoin de rien. Comment vous sentez-vous ?

— Bien.

C'était vrai. Elle n'avait plus mal à la tête. Elle était lasse, d'une lassitude agréable, avec seulement un vide dans la poitrine.

— Je crois que j'ai faim.

— Qu'est-ce que vous aimeriez manger ?

Elle avait envie d'œufs au bacon, peut-être parce que, chaque fois qu'elle était à l'hôtel, elle prenait des œufs au bacon pour son petit déjeuner. Chez elle, l'idée ne lui en serait pas venue. Et, d'ailleurs, son mari...

Il ne fallait pas encore y penser.

— Vous croyez que je peux ?

— Pourquoi pas ? Je vais appeler le garçon d'étage.

— Vous avez mangé, vous ?

— Il y a longtemps.

— Il est tard ?

— Quatre heures.

— De l'après-midi ?

La question était ridicule.

— Comment aimez-vous les œufs ? Bien cuits ?

— Oui.

— Du thé ? Du café ?

— Du café.

— Au lait ?

— Noir.

La dame allait à la porte pour transmettre la commande au garçon.

— Cela vous plairait que j'ouvre les volets ?

Elle tirait les rideaux, se penchait pour repousser les persiennes et on voyait la pluie tomber sur le feuillage des arbres.

— Vous m'avez fait une piqûre, n'est-ce pas ?

— Vous vous en êtes aperçue ? N'ayez pas peur. Mon mari était médecin et, pendant les vingt-huit ans que j'ai passés avec lui, je lui ai souvent servi d'infirmière.

— Cette nuit, j'ai bien cru que j'étais en train de mourir.

Elle ne disait pas ça pour s'apitoyer, mais parce qu'elle y pensait tout à coup. C'était vrai. Elle aurait pu mourir. A ce moment, elle n'existerait plus. On aurait été obligé de chercher sa carte d'identité dans son sac pour avoir son nom et son adresse. On aurait téléphoné à Guy. Se serait-il malgré tout occupé de l'enterrement ou en aurait-il chargé son frère. Qu'aurait-on dit à Charlotte ?

Au lieu de cela, elle se retrouvait couchée dans une chambre douillette, aux murs bleu pâle, avec un buste de Marie-Antoinette sur la cheminée en marbre blanc.

— Vous n'aimeriez pas prendre un bain avant de manger ? Comme je connais Jules, il en a pour vingt bonnes minutes avant de vous servir. Ne vous levez pas tout de suite. Je fais couler l'eau.

Elle fumait, se servant d'un fume-cigarette assez long que Betty ne lui avait pas vu la veille. La robe de chambre était en velours rouge, comme les mules, et elle était coiffée et maquillée.

Pendant que la baignoire se remplissait, elle

disparut un instant dans sa chambre, en revint un verre à la main.

— Vous permettez ? Cela ne vous écœure pas que je boive devant vous ?

— Je vous en prie.

— C'est l'heure où je commence à en avoir besoin. Je suis comme le pauvre Bernard avec ses hypodermiques. Un moment vient où on ne peut plus faire autrement.

Betty se demanda si elle parlait ainsi pour la mettre à l'aise, pour qu'elle n'ait pas honte de ce qui s'était passé la nuit précédente. Elle se demanda aussi si elle avait rêvé la scène du lit et elle était de plus en plus persuadée que non.

— Votre bain est prêt. Si cela vous gêne que...

— Non...

N'était-ce pas elle qui l'avait déshabillée et lavée ? Pourtant, au moment de sortir du lit, elle éprouvait une certaine honte, parce qu'il lui semblait que son corps exsudait une odeur d'homme.

Sa compagne, debout près de la fenêtre, ne la regardait pas, ne pénétrait pas ensuite dans la salle de bains, parlait de loin, comme, au théâtre, les acteurs parlent à la cantonade.

— L'eau n'est pas trop chaude ?

— Juste bien.

— La tête ne vous tourne pas ?

— Un tout petit peu.

Elle était en moins bonne forme qu'elle ne l'avait cru. Tant qu'elle était restée étendue, elle n'avait souffert de rien, mais, une fois debout, elle avait ressenti un vertige en même temps qu'une douleur aiguë d'un côté de la tête.

— Vous n'avez besoin de rien ?

— Non, merci. J'ai honte de vous donner tant de mal.

— Pas du tout. J'ai tellement...

Elle avait failli dire :

— J'ai tellement l'habitude...

Elle préféra laisser sa phrase en suspens. Ce n'est qu'un peu plus tard qu'elle enchaîna :

— J'ai tellement vécu ! Et, avec mon mari, j'ai vu tant de choses ! J'espère que vous ne vous endormez pas dans l'eau ?

— Non.

— Je vous ai mis une brosse à dents neuve et du dentifrice sur la tablette. J'en ai toujours chez moi. Car, bien qu'à l'hôtel, je suis ici un peu chez moi. Voilà trois ans que j'habite le Carlton. Ne vous inquiétez pas pour votre linge. Je l'ai fait laver par Louisette, la femme de chambre, qui vous le rapportera dans un moment.

On frappait à la porte.

— Posez la table ici, Jules. Et, tant que vous y êtes, montez-moi donc une grande bouteille de Perrier.

Betty s'enveloppait du peignoir éponge, se

passait les doigts dans les cheveux, pénétrait, pieds nus, dans la chambre.

— Attendez que je vous apporte une paire de pantoufles.

La tête lui tournait et, maintenant que les œufs au bacon étaient devant elle, elle se demandait si elle allait être capable de les manger.

— Tenez. Mettez vos pieds là-dedans. Elles sont trop grandes, mais ça ne fait rien.

— Merci. Cela me gêne de ne savoir comment vous appeler. Il me semble que je vous connais déjà depuis longtemps. Quel est votre prénom ?

— Laure. Mon nom est Laure Lavancher. Mon mari était professeur à la Faculté de Médecine de Lyon. Quand il est mort, il y a quatre ans, j'ai essayé de vivre seule dans notre appartement et j'ai senti que je ne tarderais pas à devenir folle. J'ai fini par venir ici dans l'idée de m'y reposer deux ou trois semaines. J'y suis toujours.

— On m'appelle Betty.

— Bon appétit, Betty.

Elle s'efforça de sourire.

— Je ne suis pas trop sûre de mon appétit. Il me semblait que j'avais faim et, maintenant...

— Mangez quand même. Mon mari ne vous aurait rien laissé prendre aujourd'hui, mais je sais par expérience que la médecine...

Betty surmontait sa répugnance et le café même n'avait pas le bon goût espéré.

— J'ai été très saoule, n'est-ce pas ?

— Vous avez surtout été malade.

— Non ! Je sais que j'étais ivre morte et que j'ai fait du scandale.

— On voit que vous ne connaissez pas encore le Trou. Si vous croyez qu'on s'y aperçoit seulement de ces incidents-là !

Le garçon revenait avec la bouteille d'eau gazeuse et Laure allait chercher un flacon de whisky dans sa chambre.

— Tout à l'heure, vous y aurez droit aussi, à condition que votre pouls ne recommence pas à galoper.

— Il était rapide ?

— Cent quarante-trois.

Elle citait le chiffre en souriant comme si, à ses yeux, c'était sans importance. Elle s'était nommée, simplement, sans vanité, plutôt par politesse et pour mettre la jeune femme à l'aise. Elle lui avait appris pourquoi elle était ici et avait expliqué avec autant de discrétion que possible son besoin de boire. Par contre, elle n'avait pas demandé à Betty son nom de famille et elle ne lui avait encore posé aucune question sur elle-même.

Betty avait une étrange intuition. Elle aurait juré que ce n'était pas par manque de curiosité que Laure agissait de la sorte mais parce qu'elle savait. Pas les détails, certes, car elle ne pouvait pas connaître sa situation particulière. Elle n'en avait pas moins compris.

Et elle évitait de la chouchouter, de la plaindre, de lui parler d'une voix encourageante.

— Si ma cigarette vous écœure...

— Elle ne me fait rien du tout.

— Vous ne mangez plus ?

— Je suis incapable d'avaler une bouchée de plus.

— Vous ne désirez pas que je vous laisse un moment, pour téléphoner, par exemple, ou pour écrire ?

— Non.

— Vous n'avez pas vos affaires à faire prendre quelque part ?

Comment avait-elle pu penser à cela ? Elle n'avait pas dit ses bagages, mais ses affaires, comme si elle avait deviné que c'était définitif.

— Je vous laisse seule.

Betty cria presque :

— Non !

Et, au même moment, elle se demandait si elle n'allait pas vomir.

— Ça ne va pas ?

— Pas fort.

— La nausée ?

— Oui.

— Si vous êtes comme moi, une gorgée

d'alcool pur vous remettra d'aplomb. Il vous est arrivé d'essayer ?

Elle fit signe que oui.

— Vous en voulez ?

Laure lui servit un fond de verre qu'elle avala d'un trait et qui faillit lui soulever le cœur. Elle resta immobile, tendue, prête à se précipiter dans la salle de bains, tandis qu'une sensation de chaleur se répandait petit à petit dans sa poitrine et la détendait.

— Vous vous sentez mieux ?

Elle poussa un long soupir.

— Ouf ! J'ai cru que je n'aurais pas même le temps de courir à côté.

— Vous savez où nous sommes ?

— A Versailles. Au Carlton.

Laure ne lui demanda pas comment elle était au courant, ni ce qu'elle savait d'autre.

— Vous avez envie de rester quelques jours pour vous reposer ?

— Je n'ai aucune envie.

C'était vrai. Betty ne se posait pas de questions. Devant elle, il n'y avait que du vide et elle n'avait aucune raison d'être ici plutôt qu'ailleurs.

— Ecoutez, Betty. Vous permettez que je vous appelle ainsi au lieu de dire madame ?

Elle eut un coup d'œil instinctif à son alliance, qu'elle n'avait pas songé à enlever.

— Vous n'aurez qu'à m'appeler Laure,

comme tout le monde. Au Trou, d'ailleurs , on connaît surtout le prénom des gens et, passé une certaine heure, tout le monde se tutoie.

Voulait-elle ainsi expliquer pourquoi Mario et elle s'étaient tutoyés en transportant Betty dans la voiture ? Essayait-elle de donner à entendre qu'il n'y avait rien entre eux ?

Betty rougit d'avoir pensé ainsi, d'avoir évoqué une fois encore la scène du lit, réelle ou irréelle, tellement vivante dans sa mémoire.

— Je suis franche avec vous comme je le suis avec chacun. La nuit dernière, j'ai compris que vous ne saviez plus à quel saint vous vouer et je vous ai ramenée ici parce que vous aviez besoin d'un lit. Ne dites rien. Laissez-moi finir. Pendant vingt-huit ans, j'ai été une femme heureuse, une bonne bourgeoise lyonnaise à qui son mari et sa maison tenaient lieu d'univers. Si j'avais la chance d'avoir des enfants, je ne serais pas ici.

Betty ignorait combien de verres Laure avait bus. Elle parlait sans exaltation, sans complaisance, avec une conviction peut-être un tantinet exagérée, comme elle le faisait elle-même après deux ou trois whiskies.

— A présent, je considère que ma vie est finie et que je n'existe plus. Ou bien je me trompe sur votre compte, ou vous me comprenez. J'aurais pu m'enfermer dignement dans mon appartement et attendre que ça finisse.

« J'ai essayé. Je buvais encore plus qu'ici et, à certaine époque, j'ai failli en perdre la raison.

« Ce que je fais à présent, ce que je vis, ce qui m'arrive n'a plus d'importance. Des touristes vont et viennent dans l'hôtel, des couples s'y réfugient pendant quelques jours, des vieillards, des convalescents s'y mettent au vert et s'imposent chaque après-midi une petite promenade dans le parc.

« Je ne les remarque plus. Quelques-uns, en me retrouvant après plusieurs mois, me saluent avec l'impression de me connaître, ou parce qu'ils se figurent que je fais partie du personnel.

« Je descends rarement à la salle à manger et, quand je prends un verre au bar, pour bavarder avec Henri, c'est le plus souvent lorsqu'il n'y a personne.

« Je vous ai fait donner la chambre voisine de la mienne dans l'idée que vous auriez peut-être besoin de soins...

— J'en ai eu besoin, l'interrompit Betty d'une voix timide.

Elle était aussi impressionnée qu'une élève devant une nouvelle maîtresse d'école.

— Je ne cherche pas à vous influencer. Si vous devez aller ailleurs, allez-y. Si vous avez envie de rester une nuit de plus, ou quelques jours, ou plus longtemps, restez sans arrière-pensée et, si vous préférez une autre chambre...

— Non.

— Ce soir, comme hier, comme tous les autres soirs, j'irai au Trou.

Un soupçon venait à Betty : Laure ne lui parlait-elle pas ainsi pour l'empêcher de penser à ses propres problèmes ? Depuis qu'elle lui avait fait une piqûre, elle était devenue à ses yeux une sorte de médecin et les médecins ont parfois des ruses de ce genre.

— C'était la première fois que vous y veniez ?

— Oui.

— Rien ne vous a frappé ?

— Dans l'état où j'étais, vous savez !

Elle n'osait pas encore redemander à boire, malgré son envie. La gorgée d'alcool qu'elle avait avalée avait fini son effet et elle éprouvait le besoin d'un nouveau coup de fouet.

— Quand Mario parle de ses clients, il les traite volontiers de tordus et il n'a pas tellement tort. Cela vous amuse que je vous raconte l'histoire de Mario et du Trou ?

Elle dit oui, pensant toujours au verre qu'elle tenait à mériter, et Laure y pensa aussi.

— Vous en avez besoin ?

— Je crois.

— Tout de suite ?

— Vous croyez que cela me fera mal ?

Laure la servit.

— Sans doute avez-vous remarqué que Mario joue les hommes du milieu, les durs, et il y en a beaucoup parmi les habitués qui s'imaginent qu'il a fait plusieurs fois de la prison. Cette idée les excite, surtout les femmes.

« La vérité, c'est qu'il a été garçon de bar, puis chauffeur de taxi à Toulon. Il ne faut pas lui en parler, car il m'en voudrait. Il préfère dire qu'il était navigateur, comme tous les mauvais garçons de la Côte.

« Il a l'air d'une brute alors qu'en réalité, c'est un tendre, et même, si étrange que cela paraisse, un timide.

« Un jour, à Toulon, voilà des années, il a fait la connaissance, en la conduisant dans son taxi, d'une Sud-Américaine dont le mari, qui venait de mourir d'une embolie à Monte-Carlo, était un riche planteur de cacao colombien.

« Etait-elle une tordue, comme Mario le prétend ? Toujours est-il qu'elle se l'est attaché en qualité de chauffeur et de factotum et que, pendant plus d'un an, ils ont traîné en Rolls-Royce de Cannes à Deauville, de Paris à Biarritz, à Venise et à Megève.

« Je ne vous ennuie pas ?

— Au contraire.

Betty revoyait toujours les deux corps sur le lit et elle était désormais sûre que ce n'était pas un rêve. Mais n'était-ce pas un rêve que cette chambre aux boiseries peintes en bleu pâle, avec le buste de Marie-Antoinette sur la cheminée et, dehors, la pluie monotone sur le feuillage de plus en plus sombre ?

Le jour baissait. Les lampes, dans leurs petits abat-jour de soie plissée, devenaient plus brillantes et Betty serrait son corps nu dans la sortie de bain moite.

La femme brune, devant elle, trop grande, même assise, se savait sans grâce et ne cherchait pas à faire illusion. Elle fumait cigarette sur cigarette, trempait parfois les lèvres dans son verre, jouait, du bout du pied, avec une de ses mules.

S'il y avait d'autres clients dans l'hôtel, du personnel qui allait et venait dans les couloirs, on n'en avait aucun écho.

— Pour le reste, il y a sans doute la légende et la réalité et je ne prétends pas faire la part de chacune. La dame colombienne s'appelait Maria Urruti et appartenait, paraît-il, à une des plus vieilles familles de son pays. Depuis la mort du mari, cette famille la pressait de rentrer, la poursuivant de lettres et de télégrammes, la menaçant de lui couper les vivres jusqu'à ce que, un beau jour, faute de fonds, elle se soit trouvée dans la nécessité d'entreprendre le voyage.

« — *Ils vont me tuer !* disait-elle à Mario. *Ils me détestent. C'est pour me tuer* — elle prononçait touer — *ou pour m'enfermer dans un asile qu'ils veulent que je retourne là-bas. Il faut que tu viennes avec moi, Mario, toi qui es fort, pour les empêcher de me faire du mal.*

« Ils sont partis tous les deux, en bateau, car

elle avait peur de l'avion. La famille habite une ville nommée Cali, au pied de la cordillère des Andes, sur le versant du Pacifique et, pour s'y rendre, on doit débarquer à Buenaventura.

Betty regardait la cime des arbres que noyait peu à peu le brouillard et, entre les branches, fixait une lumière lointaine qui avait l'air d'une étoile. Elle ne pensait pas. Elle n'écoutait pas. Les mots la pénétraient sans heurt, comme de l'eau qui coule.

— Mario n'a pas eu l'occasion d'employer sa force. Le bateau à peine à quai, plusieurs hommes au poil noir, parents de Maria Urruti, montaient à bord en compagnie de policiers et Maria se trouvait escamotée tandis que les autres passagers attendaient encore les formalités de débarquement.

« Quant à lui, il descendait un peu plus tard, sans un sou, sur un quai inconnu.

« Il prétend qu'il a exercé tous les métiers et laisse entendre que, parmi ceux-ci, quelques-uns étaient éminemment illégaux. Il vous montrera sa cicatrice, au coin de l'œil, que vous n'avez peut-être pas remarquée.

« Il vaut mieux faire semblant de le croire. Pour ma part, je ne serais pas surprise que la famille lui ait versé une somme importante afin de se débarrasser de lui.

« Il a rôdé un certain temps au Venezuela, à Panama, à Cuba. Quand il est rentré en France, l'idée lui est venue d'ouvrir un bar à proximité du S.H.A.P.E. en escomptant la clientèle des officiers américains.

« C'est le Trou, que vous avez vu. Or, sauf de rares exceptions, les Américains ne sont pas venus, jugeant peut-être l'endroit trop proche de leur base ou préférant l'air de Paris.

« Ceux qui sont venus, à la surprise de Mario, ce sont des gens dont il ne soupçonnait pas l'existence, ceux que vous avez vus la nuit dernière, les tordus, comme il les appelle, des étrangers ou des Français qui habitent entre Versailles et Saint-Germain en passant par Marly, Louveciennes et Bougival. Il en arrive de plus loin encore, qui ont des villas ou des grandes propriétés, souvent une femme et des enfants, et qui...

Elle laissa sa phrase en suspens, saisit son verre avec l'air d'inviter Betty à en faire autant.

— Des tordus, quoi ! Comme moi ! Des gens qui n'ont plus...

Elle se mit à boire sans achever sa pensée et, pas seulement à cause de la sortie de bain humide, Betty eut un frisson.

3

— COMMENT aimez-vous ces cannelloni, Betty ?

La voix de Mario était joyeuse, familière, réconfortante.

— Ils sont très bons, répondait-elle avec un regard de reconnaissance.

— Avouez qu'on n'est pas mal ici.

— On y est si bien que j'ai l'impression d'être déjà une vieille habituée.

Au début de la soirée, elle restait intimidée, parce qu'elle se sentait la nouvelle et qu'elle croyait que tout le monde, en la regardant, se souvenait de sa crise de la veille. Cette gêne avait passé très vite, surtout quand elle s'était rendu compte que, grâce à la compagnie de Laure, qui lui servait en quelque sorte de caution, elle était adoptée.

Un détail suffisait à le prouver. Quand un habitué, comme cela arrivait de temps en temps, venait se pencher sur Laure pour lui dire quelques mots, il ne croyait pas devoir baisser la voix.

Sur la table, entre elles, il y avait un énorme plat de cannelloni et un fiasco de chianti. Le vin rouge était sombre, presque noir dans les verres ballon, avec un point rose et plus lumineux au centre. Dehors, un vent froid plaquait la pluie sur les visages et les vêtements de ceux qui descendaient d'auto et, lorsqu'ils voulaient repartir, ils avaient du mal à dégager leur voiture de la boue.

La barmaid à grosse poitrine était à son poste et on voyait plus de monde au bar que la veille, moins dans la salle, peut-être parce qu'il n'était pas si tard.

Tout était comme dans son souvenir, les murs rouges, ornés de gravures anglaises représentant des scènes de chasse à courre. La nuit précédente, malgré son état, elle avait tout remarqué, elle en avait maintenant la preuve et s'en émerveillait.

On aurait pu croire qu'elle n'était préoccupée que d'elle-même, de son drame, de son dégoût. Par surcroît, elle était ivre à tomber de sa chaise. Tout vacillait, dans sa vie et autour d'elle, et pourtant elle s'était intéressée à des détails futiles comme ces cartes postales glissées dans le cadre du miroir, derrière les bouteilles du bar. Elle était sûre qu'une d'entre elles représentait la baie de Naples, une autre le temple d'Angkor.

A peine la pièce lui paraissait-elle plus grande aujourd'hui. Elle découvrait qu'il y avait en réalité deux pièces et que la seconde, où l'on mangeait aussi, était moins éclairée que la première, par des bougies plantées dans des bouteilles posées sur les tables.

Cette partie était-elle réservée aux initiés, à de très anciens clients ou aux amoureux ? Des amoureux véritables fréquentaient-ils le Trou ?

— Comment se comporte cet estomac ? s'enquérait Laure.

— Pour le moment, fort bien.

Elle mangeait avec appétit. Ses yeux, elle le sentait, étaient brillants, son teint animé et, à la moindre provocation, ses lèvres s'entrouvraient en un sourire à peine hésitant.

Elle était comme convalescente et c'était agréable. Elle n'ignorait pas que ce bien-être était passager, superficiel, qu'il n'y avait rien de changé, qu'elle restait la même, en réalité, avec tous les problèmes qu'elle avait accumulés et auxquels il n'y avait pas de solution.

Laure se rendait-elle compte de ce que son humeur avait de fragile, de factice ? Savait-elle que, d'un moment à l'autre, tout allait sans doute recommencer, comme la veille ? Un peu d'alcool la soutenait, le fait de dîner en compagnie de quelqu'un qui s'occupait d'elle. Mais, la nuit précédente aussi, assise en face du docteur, elle avait connu une détente presque pareille. Il ne s'en était fallu que d'un verre ou deux.

Ce n'était pas la peine de s'en préoccuper à l'avance. Elle était comme en voyage, quand, dans un climat nouveau, dans une ville inconnue, on perd ses soucis et sa personnalité.

Laure savait maintenant son nom. Lorsqu'elles étaient descendues ensemble dans le hall de l'hôtel, l'employé de la réception avait demandé à Betty :

— Voudriez-vous être assez aimable pour remplir votre fiche ?

Et, en la lisant, l'homme avait remarqué :

— Etamble, comme le général ?

— Je suis sa bru.

Elle avait ajouté :

— Est-ce possible de faire prendre des bagages à Paris ?

— Il vous suffit de donner vos instructions au concierge.

Laure se tenait à l'écart, par discrétion. Betty expliquait à l'homme en uniforme qu'il y avait un certain nombre de valises, peut-être une malle, à prendre au 22 bis de l'avenue de Wagram.

— Vous ne savez pas combien de pièces ?

— Non.

— Vous croyez qu'une voiture pourra tout charger ?

— C'est probable. J'en suis à peu près sûre.

— Il vaudrait peut-être mieux que vous me remettiez un mot, pour le cas où on refuserait de livrer ?

Elle griffonna sur une page de bloc-notes : *Prière de remettre mes affaires au porteur. Merci.*

Cette fois, elle signa Betty. Ce n'était pas une pièce officielle. Elle n'ajouta rien. Elle n'avait rien à ajouter.

— On peut donc y aller dès ce soir ?

— Je pense.

— Il y aura quelqu'un ?

— Il y a toujours quelqu'un.

Comment n'y aurait-il eu personne dans l'appartement, tout au moins la nurse, puisque Anne-Marie n'avait que dix-neuf mois ?

Elle avait retrouvé la voiture de Laure et l'avait reconnue à son odeur, au contact rapeux des sièges. Le général Etamble était mort à Lyon l'année précédente. Il y avait vécu de nombreuses années. Sa femme était lyonnaise et appartenait à la même société que Laure, de sorte que les deux femmes avaient des chances de se reconnaître.

Laure n'en parlait pas, restait la même, capable de se taire longtemps sans que cela devienne gênant, puis tout à coup, sans raison apparente, de se lancer dans une longue histoire.

— Vous avez reconnu John ? questionnait-elle en mangeant, peut-être pour empêcher la pensée de Betty de vagabonder.

Et, comme Betty ne comprenait pas tout de suite :

— Le lord anglais dont je vous ai parlé hier. Il est assis à gauche du bar en compagnie d'une jeune fille aux cheveux incolores qui porte un manteau en léopard.

C'était le chauve, un homme grand et fort, un peu empâté, à la moustache en brosse. Il se tenait droit sur la banquette à la façon d'un ancien officier et regardait devant lui sans accorder d'attention à sa compagne qui avait l'air d'une vague starlette.

Le teint coloré, les joues couperosées, il gardait de l'allure.

— Il va rester ainsi, sans prononcer un mot, pendant deux ou trois heures. Il ne boit pas de whisky, mais du cognac. Ce qu'il pense pendant tout le temps que l'alcool l'imprègne petit à petit, personne ne le sait et il est possible qu'il l'ignore lui-même.

« A un moment donné, vous le verrez se lever et se diriger vers la porte d'une démarche à peine hésitante. Il reconnaît, à la minute près, quand il a son compte et on ne l'a jamais vu chanceler. La femme le suivra, aujourd'hui la blonde, demain ou la semaine prochaine une autre, car elles ne lui durent pas longtemps.

« Son chauffeur l'attend dans sa Bentley. En quelques minutes, il atteindra sa propriété de Louveciennes où il élève des chiens danois.

« J'ai appris par Jeanine, la barmaid qui a une tache velue sur la joue, ce qui se passe alors, car elle y est allée, une nuit qu'il était sans compagne ou, plus exactement, une nuit que sa compagne était devenue malade et qu'on avait dû...

Elle ne se mordit pas les lèvres. C'était tout comme.

— Comme moi hier, dit Betty assez gaiement.

— Elle était beaucoup plus mal en point et il a fallu la conduire à l'hôpital. Jeanine, si on veut, a fait un remplacement et j'ai des raisons de croire que, là-bas, les choses se passent toujours de la même manière.

« D'abord, dans le hall, il lui a offert un verre, en homme du monde qui s'acquitte d'un devoir d'hospitalité. Il l'a conduite ensuite dans sa chambre où il a passé une robe de chambre et s'est installé dans un fauteuil.

« Il n'a pas dit un mot à Jeanine, qui a fini par se déshabiller cependant que, apparemment satisfait, il restait assis, à la regarder, comme au théâtre.

« Il lui a désigné le lit et elle s'est couchée, attendant qu'il se passe quelque chose, n'importe quoi. Il paraît qu'au bout d'un certain temps, dans le silence de la pièce et de la maison, elle s'est mise à avoir peur.

« Toujours dans son fauteuil, il la fixait comme il fixe maintenant le visage qui se trouve droit devant lui. A sa portée, sur un guéridon, un flacon de cristal contenait de la fine. Son seul geste était pour remplir son verre, le tenir dans le creux de sa main afin de le réchauffer et, de temps en temps, en boire une gorgée.

« Jeanine a cru bien faire en essayant d'amorcer une conversation. Quand elle a vu qu'il se rembrunissait, l'air mécontent, elle s'est tue.

« Cela a duré longtemps, plus d'une heure, et, à la fin, elle s'est aperçue que John dormait, son verre vide à la main.

Laure ne riait pas. Betty non plus.

— On prétend qu'il a épousé une des plus belles femmes d'Angleterre. Elle vit toujours dans sa maison de Londres et dans son domaine de Sussex. Ils ne sont pas divorcés, ni brouillés. Ils restent bons amis et se voient de loin en loin. Il s'est simplement effacé, en lui rendant sa liberté, le jour où une blessure de guerre l'a rendu impuissant. Il y a vingt ans de cela et, depuis vingt ans, le soir, il s'assied dans son fauteuil, un verre à la main, devant une femme nue.

Betty n'osait plus se tourner vers le coin de l'Anglais et Laure concluait :

— Un tordu, comme dirait notre ami Mario.

Au bar, deux femmes de trente à quarante ans, en pantalon et pull-over, puisaient cornichons après cornichons à même un énorme bocal ; le nègre, Louis, venait à intervalles presque réguliers montrer sa face hilare comme si c'était un numéro du programme et Betty commençait à se demander si tout ça n'était pas truqué, si ce n'était pas une mise en scène, si les personnages étaient authentiques.

— Qu'est-ce que Maria est devenue ? questionnait-elle tout à coup.

C'était au tour de Laure de ne pas comprendre immédiatement.

— Maria ?

Betty avait l'habitude de poser des questions de ce genre. On en riait, chez elle, quand elle était jeune, et une de ses phrases d'enfant était devenue rituelle dans la maison de l'avenue de Versailles. C'était avant la guerre, à l'époque où son père vivait encore.

— *Qu'est-ce qu'on a fait de la grenouille ?*

On lui avait lu, dans un album illustré, une histoire où il était question d'une grenouille et d'autres animaux. L'histoire terminée, sa petite voix s'était élevée dans le silence.

— *Qu'est-ce qu'on a fait de la grenouille ?*

Son père et sa mère s'étaient regardés sans savoir que répondre. Dans le livre, l'histoire était finie. Normalement, on n'avait plus de raison de s'intéresser à la grenouille.

Par la suite, lorsqu'elle ouvrait la bouche pour poser une question, son père lui coupait la parole en riant :

— *Qu'est-ce qu'on a fait de la grenouille ?*

N'en était-il pas un peu ainsi de la Sud-Américaine ?

— Vous parlez de Maria Urruti ?

— Oui. Je me demande s'ils l'ont enfermée.

— Mario n'a jamais reçu de ses nouvelles.

— Quel âge avait-elle ?

— Une trentaine d'années. Quand il m'a parlé d'elle, j'ai d'abord pensé à une femme mûrissante, surtout que son mari avait près de soixante-dix ans quand il est mort à Monte-Carlo.

De Betty aussi, on pouvait dire, grosso modo, qu'elle avait une trentaine d'années. Elle se taisait, mangeait son fromage, du Brie, mais sans appétit. Elle devait faire un effort pour ne pas se tourner vers le coin de l'Anglais et, en apercevant Jeanine qui riait avec les deux femmes en pantalon, elle l'imaginait sur le lit, un lit à colonnes, dans son esprit, immobile et silencieuse sous le regard immobile de l'homme qui tenait son verre à la main.

A Buenaventura, la famille était montée à bord du bateau, sans doute des frères, des beaux-frères, des cousins. Elle les voyait comme un bloc compact, solide. Ils avaient les autorités pour eux.

— Comment ça va, ici, les enfants ?

— Bien, Mario. On mange.

— A la bonne heure. Les tordus ne sont pas

nombreux, ce soir. On dirait qu'ils ont eu peur de se mouiller.

Il jetait un bref coup d'œil à Betty, pour se rendre compte du point où elle en était, puis, avant de s'éloigner, appuyait un instant la main sur l'épaule de Laure dans un geste presque conjugal.

— Au fond, il aime ses clients et, quand ils ne sont pas là, il n'est pas heureux.

Betty savait, elle, depuis quelques instants, que, pour Mario, elle n'était pas une cliente et que, tôt ou tard, il y aurait autre chose. Laure le soupçonnait-elle ? Etait-elle jalouse ? Se contentait-elle de ce qu'il lui donnait ?

Betty était à nouveau partie à la recherche d'un point d'appui et elle se remettait à flotter. Elle n'avait pas beaucoup bu. Elle était décidée à s'arrêter à temps, ne voulant plus être malade et se donner une seconde fois en spectacle.

Pourtant, elle regrettait un peu la nuit précédente, quand, inerte, elle n'avait plus à se préoccuper d'elle et que plus rien ne comptait.

Qu'est-ce qui comptait à présent ? Elle avait fait prendre ses affaires. Le concierge du Carlton avait dû envoyer un chauffeur, peut-être accompagné d'un bagagiste. Guy se tenait au salon avec sa mère, sans doute son frère et sa belle-sœur aussi.

Les deux frères, les deux ménages, habitaient le même immeuble, Guy au troisième, Antoine au quatrième. C'était Antoine l'aîné. Il avait trente-huit ans et suivait la carrière militaire de son père. Il serait un jour général. Commandant d'artillerie, détaché au ministère de la Défense nationale, il avait son bureau rue Saint-Dominique.

Sa femme, Marcelle, était fille d'officier, sœur d'officiers. Ils avaient deux garçons, Paul et Henri, qui allaient au lycée.

Pourquoi, alors qu'Antoine était l'aîné, était-ce chez Guy qu'on se réunissait le soir ? On n'avait jamais pris la décision à ce sujet. Nul ne s'était posé la question. Cela s'était fait naturellement.

Parfois Antoine descendait seul, en veston d'intérieur, et allait rejoindre Guy dans son petit bureau. D'autres fois, Marcelle descendait avec lui et Betty devait lui tenir compagnie.

Il y avait un feu de bûches, l'hiver, une grande lampe sur pied avec un abat-jour en parchemin craquelé. Les enfants dormaient, les deux garçons au quatrième, les filles au troisième et, vers dix heures, Elda, la nurse, une Suissesse du Valais, apparaissait dans l'encadrement de la porte pour demander :

— Puis-je me coucher, madame ?

Car Betty était madame. Elle avait un ménage, deux enfants, un mari, un beau-frère, une belle-sœur et, à Lyon, une belle-mère qui écrivait chaque semaine à ses fils et qui, tous les deux mois environ, venait passer quelques jours à Paris.

Du vivant du général, elle descendait avec son mari dans un hôtel de la rive gauche où ils avaient leurs habitudes. Depuis sa mort, Mme Etamble couchait avenue de Wagram, au quatrième, chez son aîné.

Si elle n'aimait pas Betty, elle ne se montrait pas désagréable avec elle, se contentant de la regarder comme si elle cherchait à comprendre.

— Pourquoi elle ? semblait-elle demander en jetant ensuite un coup d'œil à son fils.

Betty se posait la même question. La générale n'avait pas tort. Personne n'avait tort, au fond. Guy non plus, et Betty était persuadée qu'il l'avait aimée, qu'il l'aimait encore et que, probablement, il souffrait beaucoup.

Elle n'avait rien à lui reprocher. A trente-cinq ans, il avait de grosses responsabilités, des soucis sérieux car, sorti un des premiers de Polytechnique, il occupait un poste clé à l'Union des Mines, boulevard Malesherbes, un immeuble impressionnant comme une forteresse où se jouaient des intérêts à l'échelle nationale.

Il était beau, plus beau qu'Antoine, plus fin, comme disait sa mère, blond, les traits réguliers ; il s'habillait à la perfection, pas en sombre, comme les hommes d'affaires qui craignent de ne pas être pris au sérieux mais, au contraire, le plus souvent en clair, choisissant des teintes douces, des tissus souples et moelleux. Il jouait au tennis. Sa voiture était une voiture de sport.

Il était plutôt gai de caractère et pouvait faire rire Charlotte pendant une heure sans qu'elle se lasse et sans se lasser. C'était lui qui, quand elle était plus petite, la portait chaque soir dans son lit et il continuait la tradition avec Anne-Marie.

Est-ce que Laure connaissait la famille Etamble ?

Betty les imaginait tous dans le salon, ce soir, au moment où le chauffeur ou le bagagiste tendait son billet.

Où avait-on mis ses affaires ? Qui s'était chargé de décrocher ses robes dans les armoires, de rassembler son linge, ses chaussures, ses menus objets personnels, de vider les tiroirs de la coiffeuse et de son petit secrétaire Louis XV ?

Olga, la bonne, qui l'avait toujours regardée encore plus sévèrement que sa belle-mère et qui avait de fortes mains d'homme ? Elda ?

De quelles valises s'était-on servi ? Il n'y avait pas de valises à elle et de valises à lui. Les bagages étaient communs. Avait-on tourné la question en descendant le grand coffre du grenier ?

Depuis trois jours, quatre maintenant, elle était partie et ils s'étaient sans doute attendus à ce qu'elle fasse prendre ses affaires tout de suite, dès le lendemain matin en tout cas, puisqu'elle n'avait que ce qu'elle portait sur elle.

N'avaient-ils pas eu un peu peur, en ne recevant pas de ses nouvelles ? S'étaient-ils imaginés qu'elle était allée se jeter dans la Seine ou qu'elle avait avalé un tube de somnifère ?

En téléphonant au Carlton, elle aurait pu savoir si le chauffeur était revenu, si on lui avait remis les bagages, qui il avait vu, ce qu'on lui avait dit.

Peut-être la crise de sa belle-mère avait-elle été plus grave que les précédentes ? Elle souffrait du cœur, c'était incontestable. On la soignait depuis longtemps. S'il lui arrivait d'exagérer ses malaises pour se faire plaindre, elle n'en était pas moins malade et, quand Antoine était descendu, il avait eu très peur à la vue de sa mère dont les lèvres étaient violettes.

— Je peux vous demander à quoi vous pensez ? Ce n'est pas indiscret ?

— A ma belle-mère. Vous devez la connaître.

— Elle habite à trois maisons de chez moi, quai de Tilsitt. Car j'ai gardé mon appartement de Lyon et j'y vais de temps en temps en pèlerinage, pour ne pas perdre le contact.

Le contact avec quoi ? Avec son ancienne vie, son milieu ? Avec la mémoire de son mari ? Bien qu'elle ne précisât pas, Betty était à peu près sûre de comprendre.

— Je les ai rencontrés assez souvent autrefois, elle et le général, à des cérémonies et à des dîners officiels où nous étions forcés d'assister.

En dehors de ces obligations, mon mari et moi vivions dans un très petit cercle composé de médecins, de deux avocats, d'un musicien que personne ne connaît.

Y avait-il aussi, dans un salon feutré, une lampe sur pied avec un abat-jour de parchemin, un piano et un canapé où les dames s'asseyaient côte à côte ? Y avait-il une horloge qui marquait des minutes plus longues que partout ailleurs et, dehors, nuit et jour, comme un rappel d'une autre vie, le passage bruyant des autos ?

— Elle est à Paris, dit Betty.

Elle n'avait pas envie d'en parler et pourtant elle était incapable de se taire. Elle se faisait croire à elle-même qu'elle s'arrêterait quand elle le voudrait, qu'elle n'irait pas plus loin qu'elle le déciderait.

— Depuis trois jours, ajouta-t-elle. Quatre maintenant ! C'est drôle. Je compte toujours un jour de moins.

Cela n'avait de sens que pour elle. Pour Laure, n'était-ce pas un rébus ?

— J'ai épousé un de ses fils, le plus jeune, Guy.

C'était Laure qui continuait :

— Celui qui n'est pas entré à l'armée, au désespoir du général.

— Son frère Antoine est au ministère de la Défense nationale.

— Et il a épousé une demoiselle Fleury. J'ai

connu sa sœur aînée. Bien que les Fleury ne soient pas de Lyon, ils y ont de la famille, vaguement alliée à la mienne. Quant à la générale, c'est une Gouvieux. Son père possédait une usine de produits chimiques que les fils ont reprise, sauf un, Hector, qui est médecin et qui dirige le service d'ophtalmologie à l'hôpital Broussais où mon mari avait aussi son service.

Elle souriait avec une pointe d'ironie.

— Vous voyez ! Je me mets à parler comme dans un salon de Lyon. Je sais aussi que les Etamble ont une propriété dans la forêt de Chassagne, près de Chalamont, non loin de l'endroit où mon beau-frère chasse le canard.

— J'y suis allée.

— Souvent ?

— Chaque année, depuis six ans que je suis mariée. Toute la famille y passe le mois d'août, la générale, le général quand il vivait encore, les deux frères, leur femme, leurs enfants...

Elle ne savait pas pourquoi des larmes gonflaient ses paupières. Ce n'était pas de la nostalgie. Elle avait toujours haï ce mois d'août passé aux Étangs, la maison immense aux tourelles inutiles, les chambres au plancher qui craquait, les lits de fer qu'on montait pour les enfants, les matelas humides, le parc spongieux.

Elle rêvait de la mer, d'une plage au soleil, d'eau salée qu'on se jette au visage, le corps à l'aise dans un maillot de bain. Elle rêvait de musique aux terrasses, de coquillages avec du vin blanc, d'un canot automobile lancé à toute vitesse et rebondissant sur les vagues.

Des heures durant, Guy jouait au tennis avec son frère, parfois avec des voisins. Certains jours, les deux femmes étaient invitées à un double et Betty ratait tous ses services à force de vouloir bien faire.

— Nous nous sommes trompés, conclut-elle en un raccourci qui ne dérouta pas Laure.

— C'est ce que j'avais compris.

Laure se tournait vers Joseph, lui adressait un signe. Betty s'en aperçut. Elle aurait pu dire non. Elle ne le fit pas parce que c'était la seule solution.

Elle ne pouvait pas continuer à parler ainsi, à froid, comme, entre parents qui se retrouvent, on évoque des souvenirs de famille. L'image qu'elle venait de donner était fausse et Laure devait le savoir. Il ne s'agissait pas d'une histoire de famille. Les autres ne comptaient pas. Les autres n'avaient rien fait.

— J'ai deux enfants, reprenait-elle, le regard fixe.

Laure attendait la suite en silence.

— Charlotte a soufflé, le mois dernier, les quatre bougies de son gâteau d'anniversaire. Anne-Marie a dix-neuf mois et commence à parler comme une vraie personne.

Joseph apportait le whisky et l'eau gazeuse.

Pourquoi Laure ne l'arrêtait-elle pas, ne l'empêchait-elle pas de boire ? Ignorait-elle, elle qui savait tant de choses, que cela risquait de recommencer, que cela allait fatalement recommencer ?

Le faisait-elle exprès, pour que Betty se confie, parce qu'elle avait besoin de connaître le secret des gens ? Elle avait dit :

— Mario les appelle ses tordus. Vous verrez !

Et n'avait-elle pas mis une certaine délectation à raconter l'histoire de Maria Urruti ?

Quand, tout à l'heure, elle avait révélé l'infirmité de John, Betty avait eu l'impression qu'elle le déshabillait en public, qu'elle déshabillait aussi la barmaid aux gros seins et même la starlette incolore, toutes les femmes qui avaient suivi l'Anglais dans sa propriété de Louveciennes et maintenant Betty avait honte de le regarder.

Laure n'en ferait-elle pas autant avec elle ? Ne raconterait-elle pas un jour, aussi impassible, impersonnelle que son mari décrivant un cas clinique, l'histoire de la petite Etamble ?

Qu'avaient-ils dit d'elle, la nuit dernière, ou plutôt à l'aube, quand Mario était venu la rejoindre dans sa chambre ?

— *Elle dort ?*

— *Je l'ai assommée avec une piqûre.*

— *Qu'est-ce qu'elle tenait ! Tu l'as déshabillée ?*

Laure avait-elle expliqué à son compagnon comment elle était faite ? Avait-elle ajouté qu'elle était sale ? N'étaient-ils pas venus tous les deux la regarder pendant qu'elle dormait ?

— *D'où sort-elle, à ton avis ?*

— *Bernard l'a ramassée dans un bar.*

Peut-être Laure avait-elle indiqué que son tailleur sortait d'une des meilleures maisons de Paris, que son linge venait de la rue Saint-Honoré ? Qui sait s'ils n'avaient pas ouvert son sac ?

Même sans mauvaises intentions, sans curiosité malsaine, c'était assez naturel de l'ouvrir. On l'avait ramassée sur les carreaux du Trou, comme une bête malade. Personne ne savait d'où elle venait, pas même le docteur qui, pendant ce temps-là, poursuivait des lapins imaginaires dans sa chambre.

Son pouls battait à cent quarante-trois. Un accident pouvait se produire et ni Laure ni Mario ne sauraient qui avertir, sinon la police.

Avaient-ils trouvé le chèque ? Un instant, elle se demanda si ce n'était pas à cause du chèque d'un million que...

Elle ne voulait pas ! Elle n'était pas à bout de forces comme la veille. Elle avait dormi. On l'avait soignée. Elle avait pris un bain. Elle était redevenue une personne presque normale, comme les quatre qui venaient d'entrer et qui faisaient sourire tout le monde.

Betty, malgré elle, souriait aussi, et pourtant c'étaient des gens normaux et son père, par exemple, entrant ici avec sa famille, se serait probablement comporté de la même façon.

L'homme pouvait être n'importe quoi dans la vie, un industriel, un avocat, un fonctionnaire, un médecin de quartier : un homme entre deux âges, à son aise, assuré, pas nécessairement naïf.

Ce n'était pas sa faute si sa femme était devenue grasse et si elle avait le teint rose bonbon. Ailleurs, comme mère de famille, elle n'aurait pas été ridicule non plus.

Certes, il y avait les jumelles, deux grandes filles de dix-sept ou dix-huit ans, aussi grasses, aussi roses que leur mère, vêtues de vert par surcroît, pareilles de la tête aux pieds.

Tous les quatre avaient faim. Ils revenaient de loin et se montraient heureux d'avoir déniché un restaurant dans la campagne.

Dès son entrée, pourtant, le père avait froncé les sourcils en apercevant Jeanine à son bar et il avait été obligé de se glisser en oblique derrière les deux femmes en pantalon pour ne pas trop les frôler.

L'instant d'après, il découvrait le visage hilare du nègre qui surgissait et disparaissait comme un personnage de guignol.

Il faisait asseoir sa femme, ses filles, s'installait à son tour et appelait en frappant des mains :

— Garçon !

Joseph s'avançait sans hâte.

— Whisky ?

— Non, merci.

Il se tournait pourtant vers les femmes.

— Vous avez envie d'un petit apéritif ?

Elles disaient non, comme prévu.

— Donnez-moi la carte.

— Il n'y a pas de carte, monsieur.

Intrigué, il jetait un coup d'œil aux tables où on mangeait.

— C'est pourtant bien un restaurant ?

— Certainement.

Mario intervenait.

— Bonsoir monsieur, bonsoir mesdames. Je suppose que vous allez manger des cannelloni ?

— Qu'est-ce que vous avez d'autre ?

— Du fromage, après, un brie magnifique, de la salade et du riz à l'impératrice.

— Je veux dire comme plat principal...

— Des cannelloni.

Le pied de Laure, sous la table, frôlait celui de Betty qui était forcée de sourire. L'homme regardait autour de lui avec un commencement d'inquiétude, les murs d'abord, le bar, Jeanine une fois de plus, et enfin ses yeux rencontraient le regard fixe de John.

— Tu mangeras des cannelloni ?

— Pourquoi pas ?

Le docteur entrait, détournait l'attention de Betty. Il était mis avec autant de soin que la veille, toujours en gris, et marchait avec une certaine raideur. Dès le seuil, il l'avait reconnue et avait eu un instant d'hésitation, maintenant, il s'avançait.

— Bonsoir Laure.

Il se penchait ensuite sur Betty à qui il baisait la main.

— J'espère que vous m'avez pardonné de vous avoir fait défaut hier soir, pour autant que je vous aie fait défaut ? Laure vous aura expliqué...

Après s'être incliné une nouvelle fois, il allait s'installer sur un tabouret du bar.

Les quatre s'étaient résignés aux cannelloni et au chianti qu'on avait posé d'autorité sur leur table. Encore mal à l'aise, ils s'efforçaient de se rassurer en engageant une conversation à voix haute.

— Votre tante n'a pas été surprise de vous voir arriver toutes les deux à l'improviste ?

— Figure-toi, papa, répondait une des filles, sur un ton de théâtre d'amateurs, que tantine était au grenier à faire le grand ménage. Tu te souviens du grenier et des objets extravagants qu'il contient ?

Elle parlait pour la galerie et le regard de John, posé sur elle, semblait l'exciter.

— Nous sommes montées sans bruit et, tout à coup, Laurence a poussé son fameux meuglement. On aurait vraiment dit qu'une vache s'était hissée jusqu'au grenier et tantine en a lâché la pile de livres dorés sur tranche qu'elle tenait à la main...

Guy, entrant ici sans être averti, ne se serait-il pas senti mal à l'aise ? Antoine, à coup sûr. Et Marcelle ! Antoine et Marcelle n'auraient pas hésité à faire demi-tour. Est-ce que, la veille, Betty n'avait pas fini par crier ?

Elle ne crierait plus. Elle n'avait plus peur. Elle n'en ressentait pas moins, à examiner les visages, une vague angoisse.

Elle soupçonnait que Laure avait d'autres histoires à lui raconter, que, dans quelques jours, dans quelques heures, les personnages encore anonymes deviendraient aussi dramatiques que le docteur, que l'Anglais, que cette Maria Urruti qu'elle ne parvenait pas à chasser de son esprit.

— *Qu'est-ce qu'on a fait de la grenouille ?*

Un jour, quelqu'un demanderait de même, peut-être avec une compassion mêlée de curiosité :

— Qu'est-ce que la petite Betty est devenue ?

Car c'était à elle qu'elle en revenait toujours. Au fond de tout, à la base de tout, il y avait une petite Betty qui essayait de se comprendre et qui aurait voulu qu'on fasse un effort pour la comprendre.

Ce n'était pas par attendrissement qu'elle disait petite en parlant d'elle. Elle était vraiment petite, menue, délicate et n'avait jamais pesé plus de quarante-trois kilos.

Enceinte, seulement, elle avait pris du poids, mais si peu que les médecins, inquiets, surtout la seconde fois, avaient envisagé de provoquer un accouchement à sept mois.

Le fait de se sentir moins grande que les autres, moins robuste, avait-il de l'influence sur son comportement ? Quelqu'un lui avait dit que oui, un étudiant en médecine qui, pendant un temps, s'était amusé à la psychanalyser.

Elle l'avait cru, à l'époque. Elle avait aussi cru l'aimer. Elle s'efforçait de répondre à ses questions en toute sincérité. Jusqu'au jour où elle s'était aperçue que ces questions ne tournaient qu'autour d'un seul sujet et n'étaient destinées qu'à en arriver à un but déterminé.

Elle n'avait pas rompu tout de suite. Elle avait continué le jeu, parce qu'il l'excitait aussi. C'était lui, en réalité, qui s'était lassé le premier, trouvant peut-être qu'elle manquait d'imagination et ne variait pas assez ses réponses. Il ne lui avait pas dit adieu. Il s'était contenté de disparaître.

Les quatre mangeaient. La fille incolore attendait. Le nègre venait de temps en temps montrer sa tête dans un entrebâillement de porte.

Bernard, d'un pas digne, se dirigeait vers les toilettes et Mario le suivait des yeux. Laure buvait à petites gorgées en épiant sa compagne par-dessus son verre.

— Ce n'est pas leur faute, soupirait Betty, découragée.

Elle ne parlait pas de la table des jumelles, mais des Etamble, de la mère, des deux fils, de la belle-sœur, des garçons des uns et de ses filles à elle. Ses deux filles qui n'étaient plus à elle !

Il fallait qu'elle y revienne. C'était fatal. Il fallait qu'elle parle et, pour parler comme elle avait besoin de le faire, il était indispensable de boire.

Mais pas ici. Elle ne voulait plus faire de scandale, voir les visages tournés vers elle comme ils l'étaient maintenant vers les quatre, les yeux braqués sur elle comme ils l'étaient la nuit précédente.

Elle vidait son verre d'un trait et prononçait anxieuse :

— Cela vous ennuierait fort qu'on s'en aille ?

— Vous vous sentez mal ?

Elle ne se sentait pas mal, mais il valait mieux ne pas l'avouer.

— Je ne sais pas. Je préférerais rentrer.

Elle avait dit *rentrer,* comme si la chambre aux boiseries bleues et au buste de Marie-Antoinette était déjà son chez elle.

4

VOS bagages sont arrivés, madame Etamble. Je les ai fait monter dans votre chambre.

— Je suppose qu'il n'y a pas de message ?

— Le chauffeur ne m'a rien dit. Il m'a seulement remis ceci pour vous.

En voyant, de loin, une enveloppe, elle avait eu un instant d'émotion, comme si elle espérait quelque chose, alors que pourtant elle n'espérait rien, ne souhaitait rien pouvant venir de ce côté-là. Elle était humiliée de sa réaction, surtout devant le concierge qui, la veille, l'avait portée, ivre morte, dans sa chambre et qui, peut-être par ironie, lui parlait aujourd'hui avec un respect exagéré.

L'enveloppe, comme elle devait s'y attendre, ne contenait que les clefs des valises. Aucun billet. Pourquoi lui aurait-on écrit ? L'adresse était de la main d'Elda.

Quand, un peu plus tard, Betty ouvrit la porte du 53 et que les deux femmes aperçurent trois grosses valises, plus des paquets, au milieu de la chambre, Laure se tourna vers la chambre voisine en murmurant :

— Je vous laisse. A tout à l'heure.

— Vous avez envie de retourner là-bas ?

— Non, mais je suppose que vous désirez déballer vos affaires en paix.

— Cela vous ennuie de rester avec moi ?

— Au contraire. Je ne voulais pas vous déranger. Moi qui n'ai jamais vraiment déménagé et qui, du vivant de mon mari, ne voyageais que pour l'accompagner à de rares congrès, j'ai toujours adoré faire et défaire des bagages.

Un grand paquet mou était posé sur le pied du lit et Betty en déchira tout de suite le papier bleu.

— Mon vison !

Elle ne parvenait pas à cacher sa joie, car elle n'était pas sûre qu'on lui renverrait son vison. Sa belle-sœur Marcelle, bien que plus âgée qu'elle, n'en avait pas encore et se contentait d'un manteau d'astrakan. Quand Guy avait parlé d'un vison, deux ans plus tôt, il avait expliqué :

— Ce n'est pas tant un cadeau qu'un placement. Dans notre situation, il te faudra de toute façon un vison un jour ou l'autre. Plus j'attendrai pour te l'acheter et plus ce sera cher. Comme cela dure la vie entière...

Par conséquent, il aurait pu le considérer moins comme un vêtement personnel que comme un capital, un bien familial. Il le lui avait renvoyé quand même et, sans la présence de Laure, elle l'aurait passé sans attendre, pour le plaisir d'en être enveloppée, pour la sensation rassurante de luxe qu'il lui donnait.

— C'est du sauvage ?

— On nous l'a garanti.

— J'ai fait la bêtise, moi, d'acheter un vison d'élevage et, après quelques années, on dirait déjà du lapin. Je vous sers ?

Du coup, Betty faisait des politesses.

— C'est toujours vous qui m'invitez.

— Je vous promets de vous laisser acheter la prochaine bouteille, les deux prochaines si vous y tenez. Je vous montrerai même la maison où je me fournis.

Betty essayait les clefs sur les serrures, ouvrait les valises, puis l'armoire, les tiroirs des meubles. Laure revenait avec deux verres au moment où elle soulevait le couvercle de la dernière valise, la plus petite, en cuir bleu, qu'elle réservait d'habitude pour les objets de toilette.

Au-dessus de son contenu, bien en évidence, deux photographies étaient posées, celle qu'on avait prise de Charlotte le jour de son quatrième anniversaire et celle d'Anne-Marie, devant le grand lit de ses parents, le dimanche qu'elle avait fait ses premiers pas.

C'était Guy, encore en pyjama, qui s'était

précipité sur son appareil pour la photographier. Dans un angle, on distinguait un coin du tablier rayé de la nurse prête à soutenir l'enfant.

— Mes filles... murmurait-elle en invitant, du geste, sa compagne à regarder les photos.

— L'aînée vous ressemble. Elle a vos yeux. Elle sera très attachante.

Laure la surveillait du coin de l'œil, la croyant émue, s'attendant peut-être à une crise de larmes. Or, Betty était calme, plus froide que quand elle avait vu l'enveloppe, en bas, ou que quand, du seuil, elle avait aperçu les valises. Si elle saisissait le verre qu'on lui avait versé, ce n'était pas pour se donner du courage.

— A votre santé et à tout ce que vous avez fait pour moi.

On aurait dit que, de retrouver ses affaires, elle avait tendance à se conduire d'une façon conventionnelle. Il est vrai qu'il y avait de l'ironie dans sa voix, une ironie qui s'adressait à elle-même et non à Laure. En reprenant les photos et en les lançant sur le lit, elle disait :

— De toute façon, ce ne sont plus mes enfants et je me demande si, en dehors du temps que je les ai portés dans mon ventre, elles ont jamais été à moi...

Prise d'un besoin d'activité, elle saisissait des piles de linge qu'elle rangeait dans les tiroirs, revenait aux valises, retournait vers la commode ou l'armoire tout en parlant, la voix plus nette, les traits aigus, sans se donner la peine d'épier le visage de Laure pour juger de ses réactions.

— Vous croyez à l'amour maternel ?

Elle s'attendait au silence qui accueillit sa question et elle enchaîna :

— J'oubliais que vous n'avez pas d'enfant. Vous ne pouvez donc pas savoir. Je parle de l'amour maternel comme dans les livres, comme on en parle à l'école, comme dans les chansons. Quand je me suis mariée, je pensais bien qu'un jour j'aurais des enfants et cette idée m'était agréable. Cela faisait partie d'un tout : la famille, le foyer, les vacances au bord de la mer. Puis lorsqu'on m'a annoncé que j'étais enceinte, j'ai été déroutée que cela vienne si vite, alors que j'avais à peine cessé d'être une petite fille.

« J'avais à peine eu deux ans avec mon mari. Déjà, ce n'était plus de moi qu'on parlait, mais de l'enfant à venir. Ou, s'il était question de moi, c'était en fonction de l'enfant qui prenait la première place. Avant même d'accoucher, je devenais la mère.

« Vous allez penser que j'étais jalouse. C'est presque vrai. Pas tout à fait. Je commençais à peine à vivre. Je m'étais promis tant de joies pour le jour où j'aurais enfin un homme à moi !...

« Mon idée du mariage était d'être deux et nous allions presque tout de suite être trois.

« Je ne pensais pas ainsi chaque jour, bien

entendu. Par moments, j'étais émue, surtout quand je l'ai senti remuer. Peu de temps après, ma santé a donné des inquiétudes, toujours pas pour moi, mais pour le bébé à naître, et on m'a imposé un régime sévère. J'ai passé la plus grande partie du temps dans mon lit.

« Le soir, mon mari venait s'asseoir près de moi pendant une demi-heure, trois quarts d'heure, puis, n'y tenant plus, n'ayant rien à me dire, il regagnait son bureau, ou allait retrouver Antoine et sa femme au salon.

« Il m'apportait des fleurs. Tout le monde m'apportait des fleurs, était gentil avec moi, même la bonne, Olga, qui était déjà au service de Guy avant mon arrivée dans la maison et qui n'a cessé de me considérer comme une intruse.

« Ma belle-mère aussi était contente de moi.

« — *Très bien, ma fille ! Surtout, pensez au bébé, à vos responsabilités, et suivez les ordres du médecin.*

« On me surveillait sans en avoir l'air pour s'assurer que je ne me permettais pas d'écarts de régime. J'étais si délicate, n'est-ce pas !

« N'était-ce pas naturel qu'on s'inquiète du futur Etamble ? Du moment qu'Antoine, l'aîné, avait eu deux fils, personne ne doutait que Guy aurait aussi des garçons.

Elle allait et venait, tandis que Laure, pour l'aider, passait les robes sur des cintres. Comme il n'y en avait pas assez dans l'armoire, elle alla en chercher chez elle.

— On m'a conduite trop tôt à la clinique et j'y suis restée quarante-huit heures à attendre. J'avais peur. J'étais persuadée que j'allais payer. Même maintenant il me serait impossible d'expliquer ce que j'entendais par là. C'était une notion confuse de justice, d'une justice que, par ailleurs, je ne reconnaissais pas. En donnant la vie à un être, je payerais d'une façon ou d'une autre, de mes souffrances ou de ma vie à moi, ou encore en restant impotente pour le reste de mes jours.

— Je comprends.

Cela surprit Betty qui fronça les sourcils.

— Je n'aurais pas cru que quelqu'un d'autre pouvait comprendre ça et je n'en ai jamais parlé à personne, par crainte qu'on rie de moi. L'enfant est née, une fille ; la famille a fait semblant d'être heureuse, mon mari surtout, qui ne m'a jamais regardée avec autant de tendresse que ce jour-là.

« Sur le moment, j'en ai été ravie ; ensuite j'ai compris que cette tendresse ne m'était pas destinée, mais qu'elle s'adressait à la mère de son enfant.

« Car c'était son enfant à lui. N'importe quelle femme aurait pu jouer mon rôle et lui en donner un, plus facilement que moi, sans toutes les petites misères et les inquiétudes des derniers mois ; et, qui sait, cela aurait peut-être été le fils qu'il désirait tant ?

« La nurse, engagée dans une école suisse, était à la clinique en même temps que moi, prête à prendre possession du bébé.

« — Repose-toi, ma chérie. Elda est là pour s'occuper de l'enfant.

« Avec mes petits seins en pomme, il n'était pas question de nourrir. Les médecins, les infirmières, la famille, tout le monde entrait et sortait sur la pointe des pieds, ne restait qu'un instant dans ma chambre.

« — Reposez-vous !

« Et je les entendais chuchoter et rire dans la pièce voisine.

« Je ne me cherche pas d'excuses. J'essaie de comprendre. Il est possible que le résultat aurait été le même si cela s'était passé autrement. Je suis peut-être un monstre. Dans ce cas, je jurerais que c'est le cas de milliers et de milliers de femmes.

« Je n'ai jamais entendu la voix du sang, la voix de la chair. On me montrait un petit être que je ne savais même pas tenir convenablement et, tout de suite, sa nurse le reprenait comme pour le mettre en sûreté.

« Avenue de Wagram, j'allais plusieurs fois par jour dans la nursery, pleine de bonne volonté. Ou bien l'enfant dormait et Elda posait un doigt sur ses lèvres, ou bien il prenait son biberon et on me faisait signe de ne pas le distraire, ou encore on le langeait et je ne pouvais que regarder faire.

« Tout était en ordre, tout était propre. A la cuisine aussi, et dans l'appartement, grâce à Olga, qui n'avait pas besoin de moi non plus pour tenir une maison.

« Il y a quatre ans de ça. Charlotte a marché, a parlé, a grandi. Elle n'est toujours pas ma fille.

« J'ignore ce qu'on lui dira, que je suis morte ou partie pour un long voyage.

— Vous ne la reverrez pas ?

Elle secoua la tête si fort que ses cheveux lui couvrirent le visage.

— Ils ne veulent pas, dit-elle d'une voix plus basse.

Puis, plongée dans une valise :

— J'ai promis.

Elle se redressait, une grande enveloppe jaune à la main.

— N'en parlons plus. Où est mon verre ?

— Le voici.

— Merci. Si je continue, je finirai par vous donner le cafard. C'est Elda qui s'est chargée d'emballer mes affaires, je reconnais sa manière. Elle a cru me faire plaisir en mettant les portraits des enfants et, après tout, peut-être n'a-t-elle pas eu tort. Cela appartient à mon passé aussi, comme cette enveloppe qui contient de vieilles photographies. Je n'y pensais plus et je me demande où elle l'a trouvée.

Elle parlait avec volubilité et, bien que toutes les lumières fussent allumées, il lui semblait qu'il faisait sombre dans la pièce. Sombre et humide.

— Un jour, quand j'avais une vingtaine d'années, je me suis acheté un bel album afin d'y coller ces photos. Dans mon esprit, elles devaient constituer une sorte d'histoire de ma vie.

« Tenez ! J'aperçois l'album qui dépasse, sous mon nécessaire de toilette. Je n'y ai jamais rien collé. Il est resté tel que je l'ai emporté de la papeterie, et pourtant ce n'est pas le temps qui m'a manqué. Si j'avais eu moins de temps...

Elle se secouait à nouveau. Sa voix changeait encore de registre.

— Vous voulez voir mon père ? Je ne l'ai connu que jusqu'à mes huit ans, car la guerre a éclaté, les Allemands ont envahi la France et, dès que le ravitaillement est devenu difficile, on m'a envoyée chez une tante, en Vendée. On disait déjà que je n'étais pas forte. En Vendée, on trouvait toute la nourriture qu'on voulait, du beurre, des œufs, de la viande et même du vrai pain blanc.

« Tenez ! Voici mon père. Tel que je l'ai toujours vu. Il était trop fier de sa blouse crasseuse pour accepter d'être photographié dans un complet du dimanche. Il avait les cheveux au vent.

« — Donne-toi au moins un coup de peigne, soupirait ma mère, gênée.

« — Pourquoi ? Tu voudrais que je laisse de moi une image fausse ?

« Il aimait les farces, se moquait des clientes. A table, pour me faire rire, il les imitait et était capable de prendre la voix de chacune.

« Je n'ai aucune idée de ce qu'il a fait pendant L'occupation. Ma mère m'a juré qu'elle n'en savait rien non plus. Ce n'est que beaucoup plus tard, quand on lui a remis une médaille posthume et quand il a été question d'une pension qu'elle a parlé de ses activités mystérieuses.

« Je ne pense pas qu'il ait appartenu à un réseau de résistance, car c'était une sorte d'anarchiste qui ne croyait à rien et se moquait aussi bien de Pétain que de De Gaulle, des Allemands que des Américains et des Russes.

« La Gestapo n'en est pas moins venue l'arrêter quelques semaines avant la libération de Paris. On n'en a eu aucune nouvelle jusqu'à ce que, deux ans plus tard, ma mère ait été officiellement avertie qu'il avait été fusillé.

« On ne sait même pas où exactement. Pas dans un camp, ni dans une prison mais, selon certains témoignages, sur un quai de gare où on avait fait descendre d'un train une fournée de prisonniers en route pour l'Allemagne. »

Plus froide, elle annonçait, en tendant une photo prise devant le rideau gris perle d'un photographe :

— Ma mère.

— Vous ne la voyez plus ?

— De temps en temps. Rarement. Mon père absent, elle a continué seule le commerce pendant quelques mois, puis elle a engagé un chimiste à qui, il y a deux ans, elle a fini par céder le fonds, conservant pour elle une partie de l'appartement du premier.

— Elle ne s'est pas remariée ?

Betty parut surprise, choquée. Sa mère n'était-elle pas une vieille femme ? Elle se rendait soudain compte qu'en réalité elle était devenue veuve à quarante ans, alors qu'elle était beaucoup plus jeune que Laure.

— Moi, à dix ou douze semaines.

La traditionnelle photo de bébé à plat ventre sur une peau d'ours.

— La seule période de ma vie où j'ai été potelée !

— Vous n'êtes pas maigre.

Laure ne l'avait-elle pas vue nue ?

— Pas trop. Pas autant que je le parais quand je suis habillée.

Elle avait malgré tout un mince sourire.

— Moi encore, à quatre ans, quand on m'a mise à l'école maternelle. Et à huit, la veille de mon départ pour La Pommeraye. C'est ma mère qui m'a conduite là-bas et, avec les trains de l'époque, c'était presque une expédition.

Elle passait sans commentaire les tantes, les oncles, les vieilles photos glacées et montées sur carton.

— Vous connaissez la Vendée ?

— Mal. Seulement Luçon, les Sables-d'Olonne, La Roche-sur-Yon aussi, pour y avoir passé la nuit dans un hôtel qui donne sur une place immense.

— Je n'y suis jamais allée. La Pommeraye est à l'autre bout du département, dans le Bocage, à la limite des Deux-Sèvres. La Sèvre niortaise traverse le village, qui est si petit et si perdu que, pendant toute la guerre, on n'y a vu passer que quelques Allemands.

« Mon oncle François, qui a épousé Rachèle, la sœur de ma mère, est le personnage important de l'endroit car, outre qu'il tient la seule auberge, il est à la fois marchand de grains, marchand d'engrais et marchand de bestiaux.

« Je n'ai pas de photo de lui. Figurez-vous une grande brute avec des moustaches de phoque, des petits yeux brillants, malins et un peu méchants, des culottes de velours et, du matin au soir, d'un bout de l'année à l'autre, des guêtres de cuir.

« Je me souviens de son odeur, de celle de la salle d'auberge, de la bonne odeur de moisi des chambres, des lits de plume dans lesquels on enfonçait... »

Elle tenait à la main une photographie qui paraissait la surprendre et changeait le cours de ses pensées.

— Je ne me rappelais pas que j'avais une photo de Thérèse.

Elle la montrait, sans la lâcher, sans cesser de la regarder elle-même avec une certaine émotion.

— La plus petite, à gauche, c'est moi à onze ans. Vous voyez mes jambes maigres et mes tresses raides. Ma tante me faisait toujours mal quand elle me tressait les cheveux...

Sur l'image un peu floue, elles étaient deux filles qui se tenaient très droites devant les marches de pierre d'une église de village.

— Qui était Thérèse ?

— La bonne de l'auberge, une pupille de l'assistance publique.

« Elle n'avait guère plus de quinze ans à l'époque et portait toujours la même robe noire, la seule qu'elle possédait et qui moulait drôlement ses petits seins pointus. Quand j'avais dix ans, ils m'impressionnaient déjà et j'aurais tout donné pour posséder les mêmes.

« Thérèse servait dans la salle quand ma tante était occupée. C'était elle aussi qui faisait les chambres, épluchait les légumes et, souvent, allait chercher les deux vaches aux champs.

« Elle ne se plaignait jamais. Elle ne riait pas non plus. Ma tante, qui la traitait de sournoise, était sur son dos toute la journée, criant d'une voix pointue, à une porte ou à une autre :

« — Thérèse !... Thé-rè-se !...

« — Oui, madame, murmurait Thérèse en surgissant tout à côté d'elle alors qu'on la croyait ailleurs.

« J'aurais aimé devenir son amie, mais elle était trop grande pour moi et je me contentais de rôder autour. J'avais entendu dire qu'elle était une enfant abandonnée et ces mots me paraissaient magiques, faisant, à mes yeux, de Thérèse, un être à part qu'il m'arrivait d'envier, malgré mon amour pour mon père... »

Elle saisissait son verre, l'emportait vers un fauteuil où elle se laissait tomber, l'enveloppe jaune sur les genoux, avec, au-dessus, la petite photographie qu'elle regardait de temps à autre.

— Ce que Schwartz a pu me tracasser à cause d'elle ! Schwartz, c'est l'étudiant en médecine dont je vous ai parlé. Il travaillait le soir dans une brasserie comme laveur de vaisselle afin de payer ses études, et habitait une chambre de bonne près de la place des Ternes. C'est ainsi, parce qu'il habitait le quartier, que je l'ai connu.

Elle précisa avec une pointe de défi :

— J'étais déjà mariée, bien entendu. C'était même après Charlotte. Un an après. Pas tout à fait. Lorsque j'étais couchée sur son lit, je voyais des centaines de toits et les cheminées qui fumaient.

Laure ne bronchait pas.

— A force d'être questionnée sur les sujets que vous devinez, j'ai fini par lui parler de Thérèse et il a prétendu que cet incident m'avait marquée davantage que tout le reste de mon enfance. Il m'a fait répéter si souvent l'histoire qu'elle a fini par m'obséder.

— Que s'est-il passé avec Thérèse ?

— Vous vous doutez bien qu'à onze ans j'en savais autant que toutes les petites filles de mon âge, et même plus, puisque je vivais à la campagne. J'avais vu les animaux. Tout près de l'auberge, il y avait un taureau auquel on amenait les vaches du pays et nous avions l'habitude de passer par là en revenant de l'école.

« J'avais vu des garçons aussi. Contrairement à beaucoup de mes camarades, pourtant, j'avais toujours refusé de les toucher.

« Chaque samedi, ma tante se rendait en carriole au marché de Saint-Mesmin, le bourg voisin, pour vendre ses poulets, ses canards et ses fromages, car elle faisait du fromage blanc avec le lait écrémé.

« Là-bas, comme dans toutes les campagnes, je suppose, le bétail est du domaine des hommes tandis que la volaille, le beurre et le fromage ne regardent que la femme.

« Etions-nous en vacances ? Avais-je manqué l'école pour une raison dont je ne me souviens plus ?

« Je me revois, seule dans la cour, dans le jardin, puis seule encore sur la place, devant l'église, comme si le village était vide, sans doute à cause du marché de Saint-Mesmin.

« Le curé est passé en m'adressant un signe de la main. C'était l'été. Il faisait chaud. On apercevait le gravier au fond de la rivière dont l'eau se divisait en minces filets.

« A un certain moment, je suis rentrée dans le café et il n'y avait personne non plus. La porte de la cave était entrouverte. Je me suis avancée pour la fermer. J'ai d'abord jeté un coup d'œil dans la demi-obscurité qui m'intriguait toujours et, juste derrière le battant, j'ai vu mon oncle, debout, en train de saillir Thérèse qui, courbée en avant, avait la tête contre le mur passé à la chaux.

« Je dis saillir parce que c'est le seul mot que je connaissais alors, celui que tout le monde emploie là-bas.

« Je n'ai pas bougé. L'idée ne m'est pas venue de m'en aller. Je regardais, hypnotisée, les cuisses minces et blanches de Thérèse que mon oncle pénétrait à grands coups brutaux.

« Il m'avait vue, savait que je restais là, mais il ne s'interrompait pas et, respirant très fort, il m'a lancé :

« — Toi, la môme, si tu as le malheur d'en parler à ta tante, je t'en fais autant !

« Je ne me suis toujours pas enfuie. J'ai reculé lentement, laissant la porte de la cave béante, sans cesser de regarder avec une véritable fascination.

« J'aurais voulu rester jusqu'au bout, voir le visage de Thérèse, après, entendre sa voix.

« Plus que jamais, elle devenait à mes yeux un personnage extraordinaire. Elle ne pleurait pas, ne se débattait pas. Ses cheveux, son bras replié me cachaient ses traits, mais je revois encore ses bas noirs qui s'arrêtaient au-dessus des genoux, sa robe noire retournée sur ses épaules, sa culotte, par terre, sur ses pieds.

« Je n'ai pas osé attendre la fin, par crainte que mon oncle change d'avis et mette tout de suite sa menace à exécution, par crainte qu'il me fasse mal.

« Je l'ai évité jusqu'au soir et, comme bien vous pensez, je n'ai rien dit à ma tante.

« Je me suis rendu compte par la suite qu'elle se doutait de la vérité et préférait ne faire semblant de rien.

« Je tournais de plus en plus autour de Thérèse, sans me décider à lui poser mes questions. Ce qui me troublait le plus, je pense, c'est qu'elle était à mi-chemin entre la petite fille que j'étais encore et les grandes personnes.

« Je ne l'avais jamais considérée tout à fait

comme une grande personne et, plusieurs fois, elle m'avait demandé la permission de jouer avec la poupée que sa mère m'avait envoyée de Paris.

« Schwartz m'a dit beaucoup de choses au sujet de mon sentiment pour Thérèse, certaines qui sont probablement vraies, d'autres que je crois exagérées.

« Il a prétendu que je l'enviais et c'est exact. Si je ne me l'avouais pas alors, je me rends compte à présent qu'elle m'inspirait de l'envie.

« A force de la suivre à la piste, j'ai su que ça ne lui arrivait pas seulement avec mon oncle, mais qu'elle acceptait la même chose d'autres hommes et j'ai découvert aussi que mon oncle en était jaloux.

« Il la surveillait et, quand elle était seule dans la salle avec des clients, on le voyait soudain surgir, venant d'un hangar ou des écuries pour se camper, l'œil méfiant, près du comptoir.

« Moi, je l'ai surprise au moins deux fois. Une fois l'hiver, avant le souper, alors que la nuit était tombée, couchée dans l'herbe du bord de la route, entre l'auberge et l'épicerie où on l'avait envoyée acheter je ne sais quoi.

« L'homme était un valet de ferme des environs que j'ai reconnu à ses bottes de caoutchouc rouge, car il était seul à en avoir de cette couleur.

« Une autre fois, je passais devant la chambre

qu'occupait un voyageur de commerce. La porte était fermée. je n'ai rien vu, mais j'ai entendu Thérèse qui disait :

« — Dépêchez-vous. Si je reste trop longtemps, il va monter.

« D'après les sons qui me parvenaient, je les savais sur le lit ou au bord du lit.

« Ainsi, à quinze ans, Thérèse n'était plus une gamine, comme moi et mes camarades, mais une femme. Car, à mes yeux, devenir une femme, c'était ça. Je ne pensais pas qu'elle pût y prendre du plaisir et c'est justement, d'après Schwartz, ce qui m'a marquée.

« Etre femme, en somme, c'était subir, c'était être victime, et cela avait à mes yeux quelque chose de pathétique.

« Vous ne me trouvez pas ridicule ? Je vous ennuie ?

— Au contraire.

Il sembla à Betty que Laure avait les traits comme brouillés et elle lui laissa remplir les verres, se rasseoir dans son fauteuil avant de continuer :

— C'est à peu près tout. Mon oncle ne m'a jamais touchée, en dépit de sa menace et bien que je n'aie quitté La Pommeraye qu'à quatorze ans.

« Comme, la guerre finie, le ravitaillement restait difficile à Paris et comme, en l'absence de mon père, ma mère avait fort à faire, elle avait décidé de me laisser là-bas encore un certain temps.

« Comment aurais-je réagi si mon oncle m'avait entraînée à mon tour derrière la porte de la cave ? J'aurais eu peur, certainement. Je ne sais pas si j'aurais crié et je ne crois pas, pour être franche, que je me serais débattue.

« Je vais exagérer, peut-être vous indigner si vous êtes catholique.

— Je ne le suis pas.

— Moi non plus. Mes parents ne l'étaient pas, mon père moins que quiconque. Seule ma tante allait à la messe et c'est elle qui m'a fait faire ma première communion à l'insu de mes parents.

« J'avais douze ans. C'était après l'incident de Thérèse et de la cave. Quand j'ai dû me confesser, je n'ai rien dit au prêtre de mon oncle, ni de ce que j'avais vu, mais j'ai balbutié que j'avais fréquemment de mauvais désirs.

« Je sentais que c'était mal et, en même temps, j'avais l'impression que ce qui était arrivé à Thérèse était un peu comme de recevoir un sacrement.

« Une punition aussi, comme, en accouchant, j'avais vaguement conscience de payer pour quelque chose.

« Les femmes, dans mon esprit, étaient faites pour ça. Pour que l'homme les humilie et leur fasse mal dans leur corps.

« J'avais hâte d'avoir mal dans mon corps, de recevoir cette consécration et je tâtais avec désespoir mes seins qui ne poussaient pas, je regardais dans la glace mes jambes maigres, droites comme des bâtons, mon ventre d'enfant étroit et bombé. »

Elle retrouvait sans le savoir son sourire figé de la photo de La Pommeraye. Laure était grave. Les radiateurs étaient ouverts et pourtant il leur semblait à l'une comme à l'autre que du froid se glissait dans la chambre.

— Tout ce que j'ai fait depuis, je l'ai fait parce que je l'ai voulu. C'est cela, en définitive, que je tenais à vous dire, par honnêteté, car j'ai toujours eu le désir d'être honnête. Je ne suis pas une victime. Je ne suis pas à plaindre. Personne ne m'a fait de mal et c'est plutôt moi qui en ai fait aux autres.

« C'est sans doute pour cette raison que Schwartz m'a quittée sans un mot, se contentant, du jour au lendemain, de changer de chambre et de quartier.

« Je suppose qu'il sentait que je l'entraînais Dieu sait où.

« Quant à Guy, à trente-cinq ans, le voilà sans femme, avec deux petites filles qui vont grandir et dont, à moins qu'il ne se remarie, il sera embarrassé un jour.

« Tenez ! Un mot me revient, qui dit à peu près ce que j'essaie d'expliquer. Tandis que je m'éloignais lentement, à regret, de la porte de la cave, savez-vous pourquoi je désirais tant attendre Thérèse et lui parler ? Pour lui demander :

« — Montre-moi ta blessure.

« Le mot me revient à l'instant après tant d'années. Je voulais avoir une blessure, moi aussi. Toute ma vie, j'ai...

Elle regarda Laure dans les yeux, méchamment, acheva d'une voix dure :

— Toute ma vie, j'ai couru après ma blessure.

Elle s'était juré de ne pas pleurer. Ce n'était plus possible. Les larmes jaillissaient, épaisses, de ses paupières chaudes, coulaient le long de son nez, mettaient un goût salé dans sa bouche. En même temps, elle riait.

— Je suis idiote, n'est-ce pas ? Dites donc que je suis une idiote ! J'ai tout gâché, tout raté, tout sali. J'ai passé mon temps à me salir et je suis en train de vous raconter ces histoires pour me faire plaindre. Toute ma vie, depuis l'âge de quinze ans, oui, quinze ans, pour imiter Thérèse, je n'ai été qu'une putain. Une putain, entendez-vous ?

Elle se levait d'une détente, incapable de rester immobile, et se mettait à arpenter la chambre où Laure n'avait pas bougé de son fauteuil.

— Ce n'est pas parce que mon mari m'a chassée, parce que les Etamble m'ont exclue du clan, de la famille, que je me suis mise à boire.

Ce n'est pas non plus parce que j'ai vendu mes enfants. Je peux vous réciter le texte par cœur :

Je soussignée, Elisabeth Etamble, née Fayet...

« Parce que j'ai dû écrire mon vrai prénom. C'est un document officiel. Elisabeth Etamble, née Fayet, reconnaît qu'elle est une putain, qu'elle a toujours eu des amants, avant et après son mariage, qu'elle allait les lever dans les bars comme une professionnelle, qu'elle les introduisait au domicile conjugal et qu'elle y a été surprise en train de faire l'amour à deux pas de la chambre de ses enfants...

« Et moi, l'air attendri, je vous raconte mes souvenirs, mes souvenirs de petite fille !

« Regardez ! Quand je dis que je les ai vendus, je ne mens pas...

Elle saisissait son sac à main, y fouillait fébrilement, jetait le chèque sur les genoux de Laure.

— Un million, d'acompte bien entendu, car ce serait trop bon marché.

« — Je ne veux pas que tu te trouves à la rue, m'a-t-il dit.

« Il, c'est Guy, vous comprenez ? L'honnête Guy, le bon Guy, le fils du général Etamble, qui a eu le malheur de s'amouracher d'une fille et de l'épouser sans se renseigner comme sa mère le lui conseillait.

« C'était Guy qui dictait et les autres étaient là à écouter, à assurer qu'il n'oubliait rien, Antoine, Marcelle en robe de chambre, qu'on avait tirée de son lit pour la circonstance, et la générale qui se tenait le côté gauche à deux mains en attendant le médecin.

« Peut-être qu'elle en est morte.

« — Tu me donneras ton adresse dès que tu en auras une afin que mon avocat se mette en rapport avec toi. Je ferai en sorte que tu ne manques de rien, quoi qu'il arrive.

« Et voilà ce qu'elle est devenue, ma blessure, toutes mes blessures, mes centaines de blessures, les blessures infligées par tous les mâles après qui j'ai couru pour me punir. »

Elle saisissait la bouteille d'un geste rapide, comme si elle craignait qu'on l'en empêche, la portait à ses lèvres pour boire au goulot, d'un geste volontairement crapuleux.

— Il y a des années que je bois, en cachette, parce que je ne pourrais pas vivre sans ça, parce que je suis incapable d'être comme eux et que, d'ailleurs, je ne le voudrais pas. Pendant que j'attendais Charlotte, puis Anne-Marie, je me suis interrompue de boire, car le médecin m'avait affirmé que cela pourrait leur nuire.

« Je voulais bien faire des enfants de putain, puisque mon mari y tenait. Il me restait assez de fierté pour ne pas mettre au monde des petits qui seraient malades ou difformes par ma faute.

« Eh bien, en allant à la clinique, j'emportais une bouteille avec moi, une bouteille plate, cachée sous mes affaires, et, quelques heures après l'accouchement, j'en buvais déjà une gorgée.

« Ivrogne et putain, voilà ce que je suis ! »

Elle portait encore la bouteille à ses lèvres et Laure, qui s'était levée, s'efforçait de la lui reprendre. Betty se débattait, soudain rageuse, cherchant à griffer, à meurtrir. La bouche mauvaise, elle grondait entre ses dents, haletante :

— Vous aussi, vous êtes comme eux et je vais vous montrer...

Elle ne finit pas sa phrase, lâchant soudain prise, restant là, les bras ballants, au milieu de la chambre, juste sous le lustre, si stupéfaite qu'elle en avait le visage sans expression.

Laure venait de la gifler, d'un geste calme, sans colère, si fort, néanmoins, que la joue en restait marquée.

— Et maintenant, mon petit, au lit. Déshabillez-vous.

Le plus étrange c'est qu'elle obéit, commença à retirer ses vêtements avec des gestes et des yeux de somnambule. Quelques minutes plus tard, alors qu'elle était étendue dans les draps, la voix rocailleuse de Laure prononçait :

— Vous avez le corps glacé, je vous prépare une bouillotte.

En passant dans sa chambre, elle avait pris soin d'emporter la bouteille de whisky.

5

ELLE dormait d'un sommeil uni, grisâtre, épuisant comme une marche dans le désert. Elle ne rêvait pas. Il n'y avait rien, ni ombres ni lumières, aucune action, aucun personnage, rien que le rythme traînant, monotone, de son cœur qui avait de temps en temps des ratés.

Puis elle entendait une sonnerie, réelle ou irréelle, elle ne se le demandait pas tant elle était fatiguée. Le son, vibrant, lui perçait le crâne et elle espérait qu'il allait disparaître, que c'était comme, par exemple, pour le départ des trains et des bateaux, mais il devenait toujours plus agressif et elle finit par comprendre que c'était le téléphone à côté de son lit.

Elle n'avait pas envie d'entendre parler, de parler elle-même. C'est seulement pour arrêter le vacarme qu'elle décrocha, laissant tomber l'écouteur sur l'oreiller.

Alors, une voix dit, lointaine, déformée, comme dans un vieux gramophone déréglé :

— Mme Etamble !... Mme Etamble !... Vous êtes là ?... Vous m'entendez ?... Mme Etamble !... Mme Etamble !...

Elle finit par balbutier :

— Qui est là ?

— La standardiste de l'hôtel, Mme Etamble. Vous m'avez fait peur. Je vous sonne depuis cinq minutes. J'allais envoyer quelqu'un chez vous.

— Pourquoi ?

Laure, la veille, lui avait fait prendre deux comprimés de somnifère, mais ce n'était pas à cause du médicament qu'elle était endolorie. Un ressort s'était cassé à un moment donné, quand elle n'y faisait pas attention, et maintenant il y avait un contact coupé quelque part en elle.

— On vous demande de Paris.

Elle ne réagissait pas, ne pensait pas à son mari, ni à personne qui aurait pu l'appeler au téléphone. La chambre était sombre, avec seulement un peu de lumière blême entre les fentes des volets.

— Je vous passe la communication.

Elle aurait voulu se rendormir.

— C'est vous, Betty ?

Elle ne reconnaissait pas la voix. Elle avait déjà fermé les yeux et sa respiration s'allongeait.

— Ici, Florent.

Elle balbutiait du bout des lèvres :

— Oui.

— Vous m'entendez ?
— Oui.
— Moi, je vous entends très mal. Vous allez bien ?
— Oui.

Il se trouvait dans un monde clair, il était éveillé, lavé, rasé, habillé, en pleine vie.

— J'ai vu Guy ce matin de bonne heure. Vous lui avez fait très peur en ne lui donnant pas de vos nouvelles. Ce n'est qu'hier soir, grâce au chauffeur, qu'il a enfin connu votre adresse.

Il s'appelait Florent Montaigne. C'était un ami de Guy, un ami du ménage. Il était sûr de lui, car il réussissait fort bien au barreau.

— Vous êtes certaine que tout va bien ?
— Oui.
— Vous n'êtes pas souffrante ? Je vous entends comme si vous me parliez de très loin. Vous êtes encore couchée ?
— Oui.
— Je peux vous parler ?

Il ajoutait, hésitant :

— Vous êtes seule ?
— Oui.
— Guy m'a mis au courant et m'a chargé de prendre contact avec vous. A mon avis, le plus tôt sera le mieux, vous comprenez ? J'ai l'intention, si cela vous arrange, de faire un saut jusqu'à Versailles cet après-midi, en fin d'après-

midi de préférence, et nous pourrions dîner ensemble.

— Pas aujourd'hui.

— Demain matin, alors ? Demain après-midi, je ne pourrai pas, car je plaide.

— Pas demain.

— Quand ?

— Je ne sais pas. Je vous appellerai.

— Vous êtes certaine que tout va bien, que vous n'avez pas besoin d'un coup de main ?

— Certaine. Au revoir, Florent.

Elle faisait l'effort nécessaire pour tendre le bras et raccrocher. La porte de communication était entrouverte et, dans la chambre voisine, les rideaux étaient ouverts, le jour entrait, la vie avait déjà commencé. Il lui sembla que, pour la première fois depuis des jours et des jours, il y avait du soleil.

Laure avait dû entendre. Elle allait sans doute venir lui demander si elle n'avait besoin de rien et Betty ne voulait ni la voir ni lui parler.

Ce n'était pas à cause de la gifle, dont elle se souvenait comme elle se souvenait de tout ce qu'elle avait dit la veille.

Au contraire, la gifle lui avait fait du bien et, si elle en avait été capable, elle se la serait donnée elle-même, pour couper court à son exaltation.

Jusque-là, elle avait passé son temps à s'échapper. Elle savait ce que cela voulait dire.

Elle se connaissait bien. La gifle, qu'elle aurait dû recevoir depuis longtemps, l'avait rejetée d'un seul coup dans la réalité.

Il n'y avait plus ce décalage équivoque qu'elle parvenait à donner à ses mots et à ses pensées, plus de fièvre, plus de chaleur artificielle, plus de flou.

A la place, c'était le vrai dans sa crudité, en noir et blanc, en lignes dépouillées et cruelles.

Et cela était incommunicable. C'était déjà trop d'y penser. C'était dangereux.

Elle avait triché, cette fois-ci comme les autres, instinctivement, parce que c'était sa nature. Un besoin inné de se protéger ?

Elle s'arrangeait toujours, après, pour que ce soit supportable, pour que ce ne soit pas trop laid, trop désespérant.

Elle ne parlerait plus à Laure, ni à personne. Elle n'en avait plus la force. Elle était inerte et vide. Elle n'avait envie de rien que de rester immobile dans son lit, les yeux ouverts, à fixer un coin de miroir où elle apercevait un peu de jour et une fleur du rideau.

L'idée ne lui était pas venue de demander à Florent des nouvelles de son mari et de ses enfants. De son côté, il n'avait pas paru surpris de ce qui était arrivé et s'était seulement inquiété de ne pas reconnaître sa voix. Il est vrai que c'était une Betty différente qu'il avait connue.

Florent était marié et sa femme, Odette, vive et pétillante, n'était pas sans émoustiller Guy.

Il arrivait aux deux couples, de loin en loin, de sortir ensemble. L'hiver précédent, ils avaient été ainsi au théâtre et, à la sortie, avaient décidé de manger un morceau dans une brasserie de la place Blanche. Au moment d'entrer dans les voitures, Florent avait lancé :

— Tu emmènes ma femme ? Moi, j'enlève la tienne.

L'auto avait à peine démarré que l'avocat, conduisant d'une main, commençait, de l'autre, à caresser Betty. Il n'y avait jamais rien eu entre eux. Il ne lui avait pas fait la cour. Il n'avait rien dit. Il ne disait toujours rien, regardant devant lui et se faufilant entre les voitures.

L'idée ne lui était pas venue qu'elle pourrait refuser et, docilement, comme il semblait s'y attendre, elle avait avancé la main à son tour.

La veille, elle avait affirmé à Laure qu'à onze ans, contrairement à certaines de ses amies de La Pommeraye, elle refusait de toucher les garçons.

C'était vrai. Comme tout ce qu'elle avait raconté. Ce n'était cependant qu'une partie ou une face de la vérité, celle qui peut être communiquée.

Ce qui la retenait alors, en dépit de sa curiosité, c'était la peur de se salir, de se salir matériellement. Beaucoup plus tard seulement le mot sale avait pris un autre sens, était devenu une obsession, peut-être pour l'avoir trop entendu prononcer par sa mère.

— *N'y touche pas, Betty. C'est sale !*

— *Ne mets pas tes doigts dans ton nez. C'est sale !*

Et, si elle renversait un verre de lait :

— *C'est bien toi ! Tu as encore fait des saletés !*

Elle était une sale fille. Son père aussi était sale, sa mère le lui répétait assez.

— *Tu devrais changer de blouse, Robert. Celle-ci est tellement sale qu'elle tiendrait debout.*

Il y avait les clientes sales et les clientes propres.

— *Mme Rochet, elle est sale comme un peigne.*

Chez Mme Van Horn, au contraire, c'était si propre qu'on aurait pu manger par terre.

Betty avait envie d'être sale afin de ressembler à son père. Elle en voulait à sa mère de le harceler, de lui parler comme si elle avait des droits sur lui, alors qu'il était le chef de la famille.

— *Tu descends ? Tu ne vas pas encore passer la soirée à tes sales expériences ?*

Il riait. Il ne se fâchait pas. Peut-être seul dans l'arrière-magasin, où il s'était aménagé un laboratoire, imitait-il sa femme comme, à table, il imitait les clientes pour amuser Betty ?

Elle rêvait d'être plus âgée, d'être la femme de son père, pour le traiter comme il le méritait.

Elle s'efforçait de se rendormir, de ne plus penser, mais, quand elle ne pensait pas, elle gardait le même sentiment d'irrémédiable.

Elle avait repoussé l'échéance autant qu'elle l'avait pu. A cause de Bernard, le docteur aux hypodermiques, qui l'avait ramassée rue de Ponthieu et qui l'avait conduite au Trou au lieu de l'emmener à l'hôtel le plus proche, comme elle s'y attendait, puis à cause de sa rencontre avec Laure, qui s'était mis en tête de la repêcher, tout était embrouillé.

A deux ou trois reprises, depuis, elle s'était abandonnée à un espoir imprécis. Elle avait parlé tout son saoul, tournant autour de la vérité en prenant garde de ne pas toucher à l'essentiel.

C'était vrai et c'était faux qu'elle avait voulu être sale par une sorte de protestation mystique. Elle aurait aimé être propre aussi. Toute sa vie elle avait eu la nostalgie de l'ordre, de la propreté, et c'est bien pourquoi elle avait épousé Guy.

Elle travaillait dans un bureau, à l'époque, boulevard Haussmann, à deux pas du boulevard Malesherbes et de l'Union des Mines. Ils s'étaient rencontrés dans un snack-bar où Guy mangeait un morceau sur le pouce quand il n'avait pas le temps de rentrer déjeuner.

Au début, l'idée ne lui était pas venue que cela pourrait être sérieux. Elle était gênée qu'il ne lui demande pas, comme les autres, de coucher avec elle et, à la fin, justement par honnêteté, elle l'avait presque exigé.

Quand elle s'était aperçue qu'il l'aimait, quand il avait parlé d'en faire sa femme, elle avait été prise d'une telle panique qu'elle avait décidé de ne pas le revoir.

— Il faut que je te dise, Guy...

— Me dire quoi ? Que tu ne m'aimes pas assez ?

— Tu sais bien que ce n'est pas vrai.

— Alors quoi ?

— Je préfère que tu ne m'épouses pas. Cela vaut mieux.

— A cause de quoi, si je peux savoir ?

— A cause de tout. De moi. De ma vie.

Elle avait l'intention de tout lui dire, tout ce qu'elle avait fait, tout ce qu'elle avait failli faire.

— Ecoute, Betty. Je ne suis pas né d'hier. Ce que tu as été ne me regarde pas et ne te regarde plus. C'est effacé, compris ? Tu m'aimes ?

— Oui.

Elle le pensait. Elle en était sûre. Elle l'aimait probablement encore. Elle l'aimait sûrement encore, puisqu'elle continuait à se faire mal.

— Dans ce cas, dis-toi bien que la vie commence, comme si nous étions neufs l'un et l'autre, et que samedi je t'emmène à Lyon pour te présenter à ma mère.

Il se figurait que c'était facile. Pour lui, c'était facile. Il ne regardait jamais en arrière. Il avait décidé de la place qu'elle occuperait et il l'y avait mise. Il n'existait donc pas de problèmes.

— Je ne suis même pas capable de tenir un ménage.

— Olga est là pour ça et elle rendrait son tablier si j'avais le malheur d'épouser une femme qui se mêle du ménage.

Elle avait fini par y croire, était entrée, pleine de bonne volonté, d'enthousiasme, dans la peau de son nouveau personnage.

Tout cela était une erreur. Pas seulement à cause de son passé.

C'était une erreur parce que Guy et elle ne cherchaient pas la même chose. Il disait, fier et protecteur :

— Tu es ma femme !

Est-ce que cela ne suffisait pas ? Sa femme ! La mère de ses enfants ! Celle à qui il revenait chaque soir pour lui raconter ses ennuis et ses espoirs.

— Il me semble que tu es pâlotte, aujourd'hui.

— C'est parce que je ne suis pas sortie.

— Tu as tort de rester autant ici. Il faudra que je te fasse examiner par Ménière.

Leur médecin. Pour Guy, si quelque chose n'allait pas, cela regardait Ménière. Et si elle lui avait crié, comme elle en avait souvent l'envie :

— Occupe-toi donc un peu de moi !

Il lui aurait répondu, de bonne foi :

— Je ne m'occupe que de toi !

C'était vrai qu'il s'inquiétait de sa santé, lui achetait des robes, de menus cadeaux, qu'il pensait souvent à lui envoyer des fleurs.

— De *moi*. Tu ne comprends donc pas ce mot-là ?

S'occuper d'elle-même, du fond d'elle-même, de l'être qu'elle était réellement. Ne pas s'en occuper en fonction de lui, mais en fonction d'elle.

C'était par lâcheté, en somme, pour son confort personnel, pour sa tranquillité d'esprit qu'il ne l'avait pas laissée se confesser. Elle avait essayé plusieurs fois. Chaque fois, il lui avait mis un doigt sur la bouche en souriant.

— Qu'est-ce que nous avons décidé ?

C'était trop facile. Il voulait d'elle la partie agréable, commode, celle qui convenait à son existence, se contentant d'effacer d'un geste en forme de bénédiction ce qui aurait pu compliquer leurs rapports.

Du moment qu'une chose n'existait pas pour lui, elle ne devait pas exister pour elle.

— Tu n'es pas heureuse avec moi ?

— Si.

— Pourquoi ne sors-tu pas plus souvent avec Marcelle ? Elle est un peu popote, mais c'est une bonne fille, qui gagne à être connue.

Un seul être au monde s'était occupée d'elle pour elle-même : son père.

Alors qu'elle n'était encore qu'une petite fille, il avait compris, lui, l'hurluberlu, que c'était un embryon de femme qu'il avait devant lui et il la traitait comme telle.

Parce qu'elle était trop jeune quand la guerre les avait séparés, ils n'avaient pu avoir de longues conversations. La plupart du temps, ils jouaient, plaisantaient, et pourtant, à un regard de son père, à une pression de main, elle sentait qu'il la comprenait et qu'elle était pour lui un être humain.

Peut-être même, elle se le demandait à présent, la connaissait-il assez pour s'inquiéter de son avenir ?

Schwartz, plus tard, avait bien failli être le deuxième homme. Elle l'avait espéré, jusqu'à ce qu'elle s'aperçoive qu'elle n'était pour lui qu'une sorte de cobaye. Il la connaissait aussi. Il l'avait démontée comme une mécanique. Il l'avait forcée à regarder en face des choses qu'elle s'était toujours refusé à voir. Il lui arrivait de l'interrompre en riant.

— Attention, ma petite. Te voilà encore en train de sublimer !

C'était son mot. Pourtant, en dépit de son cynisme, il était parfois ému.

— Tu voudrais tant être une héroïne, ma pauvre Betty ! Je finis par croire que c'est ce qui te perd. Tu vises si haut, tu te fais une telle idée de ce que tu pourrais, de ce que tu devrais être, que tu retombes chaque fois un peu plus bas.

« Tu mens comme tu respires. Tu uses ta vie à te mentir à toi-même, faute d'oser te regarder dans la glace.

« Quand tu t'ennuies ou que tu te sens mal dans ta peau, au lieu d'aller au cinéma, comme les autres, de t'acheter des souliers ou des robes, tu commences à te raconter des mensonges.

Une fois que, surexcitée comme elle l'était souvent avec lui, elle avait beaucoup parlé, il avait grommelé, mi-plaisant, mi-sérieux :

— Tu finiras à la morgue ou dans un hôpital psychiatrique.

Lui avait-il fait du tort ? Lui avait-il fait du bien ? Son diagnostic était exact, puisqu'elle se trouvait maintenant, bel et bien, sur le seuil de la morgue ou de l'hôpital.

Elle entendait des pas feutrés. Par délicatesse, Laure n'était pas venue tout de suite après le coup de téléphone. N'entendant plus rien, elle venait s'assurer que Betty s'était rendormie.

Betty aurait pu fermer les yeux et faire semblant, mais elle était trop lasse pour tricher.

— J'ai cru que vous dormiez.

Elle ne bougea pas la tête, n'essaya pas de sourire. Elle n'avait envie, ce matin, d'aucun contact, d'aucune présence. Il lui semblait que ce cap-là était dépassé. Elle avait essayé. Elle avait bu. Elle avait parlé à perdre haleine. Elle avait plus ou moins faussé toutes les vérités, pour elle-même encore plus que pour les autres, et elle les retrouvait malgré tout au réveil.

Cela ne valait pas la peine de recommencer !

— J'espère que vous n'avez pas reçu de mauvaises nouvelles ?

Par charité plus que par politesse, elle fit non de la tête.

— Vous n'avez pas faim ? Vous ne désirez pas que je commande votre déjeuner ?

Une seconde, l'idée des œufs au bacon la tenta, mais elle savait que, si elle cédait, tout serait à recommencer.

Après, il y aurait le whisky, l'excitation, le besoin de parler puis... A quoi bon, puisqu'il n'existait pas d'issue ?

— Une tasse de café non plus ?

Sourcils froncés, Laure lui saisissait le poignet, le regard fixé sur son bracelet-montre. On voyait ses lèvres remuer. Betty l'examinait comme si elle la voyait pour la première fois et se disait qu'elle n'avait jamais dû être jolie. Elle avait des traits d'homme. Il n'y avait que ses yeux bruns, très doux, très chauds, à démentir la masculinité de son aspect.

Elle suivait les chiffres sur ses lèvres :

— *Quarante-neuf... Cinquante... Cinquante et un... Cinquante-deux...*

Laure s'arrêta, surprise.

— Vous avez souvent des chutes brutales de pouls ?

A quoi bon répondre ? Répondre quoi ?

— Vous préférez rester dans l'obscurité ?

Sa bouche s'entrouvrit enfin pour murmurer :

— Cela m'est égal.

L'atmosphère de la chambre devait être déprimante et Laure alla ouvrir les rideaux, repousser les volets. A la place des fleurs, Betty vit un peu de ciel et la cime des arbres dans le miroir.

— Vous n'avez pourtant pas eu une mauvaise nuit ? Je ne vous ai pas entendue bouger. Vous avez mal quelque part ?

Elle faisait non.

— A la tête ?

Toujours non. Elle avait hâte que ce soit fini, qu'on la laisse seule.

— Cela vous ennuyerait beaucoup que j'appelle un médecin ? J'en connais un, ici à Versailles, qui me soigne et qui est très sérieux. Je vous promets qu'il ne vous posera pas de questions indiscrètes.

Elle répéta, agacée, comme si on l'obligeait à un effort inutile :

— Cela m'est égal.

— Vous ne voulez pas que je vous passe un peu d'eau sur le visage ?

Sa peau devait reluire. Elle transpirait. Elle sentait l'odeur de la sueur, mais elle faisait quand même non, toujours non, et Laure, inquiète, comprenait qu'elle était indésirable dans la chambre, passait dans la sienne et décrochait le téléphone.

— Allô, Blanche, donnez-moi le 537… Oui… Je reste à l'appareil…

Betty entendait, encore que cela se passât dans un autre monde qui ne la concernait pas.

— Allô… Mlle Francine ?… Le docteur est chez lui ?… Vous pouvez me le passer sans que cela le dérange ?… Allô !… C'est vous, docteur ?… Ici, Laure Lavancher… Non, je vais très bien… Ce n'est pas pour moi que je vous appelle, mais pour une amie qui est ici avec moi et que j'aimerais que vous veniez voir… C'est difficile à vous dire… Hier soir, je lui ai donné deux comprimés de phénobarbital et, ce matin, son pouls est à cinquante-trois. Non ! Je ne pense pas qu'elle ait une intolérance particulière… Vingt-huit ans… Merci, docteur… Je vous attendrai… Vous pouvez monter directement chez moi…

Elle hésitait à revenir dans la chambre et on l'entendait allumer une cigarette, faire quelques pas en direction de la fenêtre qu'elle ouvrait. Elle prit le temps de finir sa cigarette, en respirant l'air frais du dehors, avant de franchir la porte de communication.

— Il est une heure. Le docteur passera vers deux heures moins le quart, avant sa consultation. Vous ne préférez pas faire votre toilette ? Vous êtes sûre que vous ne voulez rien prendre ?

Betty se contentait de battre des cils.

— Je vais me faire monter un morceau à manger. Si vous avez besoin de quoi que ce soit, n'hésitez pas à m'appeler.

Elle poussait un bouton et on entendait une sonnerie au fond du couloir. En attendant le garçon d'étage, elle se versait à boire et Betty fut écœurée à l'idée du whisky jaune collant dans le verre.

Il lui semblait que l'odeur en arrivait jusqu'à elle et elle se demanda comment elle avait jamais pu en boire.

Si n'importe quel autre homme que Bernard lui avait adressé la parole au Ponthieu, elle serait probablement, à l'heure qu'il était, dans un lit d'hôpital, avec des malades en rang, des infirmières, un interne faisant sa ronde à heure fixe.

N'était-ce pas ce qu'elle avait cherché obscurément pendant trois jours et trois nuits ? Elle n'y avait pas pensé à proprement parler. Elle avait eu si peu de moments de vraie lucidité qu'elle n'avait guère pensé.

Tout ce qu'elle savait, c'est qu'elle s'enfonçait, qu'elle y mettait une sorte de frénésie et que cela la soulagerait.

C'était un défi, en somme, une vengeance. C'était aussi un aboutissement. C'était une fin.

Elle se salissait à fond, au maximum, sans aucun retour possible.

Cela devait arriver. Il y avait des mois que cela couvait en elle et elle le faisait exprès de défier le sort pour que la catastrophe se produise.

Certes, bien avant, il y avait eu Schwartz et l'histoire de Florent, dans l'auto, qui n'avait pas eu de lendemain parce que Florent avait peur.

Il y en avait eu d'autres et il lui était arrivé, l'après-midi, de pénétrer dans certains bars discrets, non loin de chez elle, rue de l'Etoile, par exemple, ou rue Brey, où on ne rencontrait que des couples assis dans la pénombre et des hommes qui attendaient en bavardant avec le barman.

C'est dans un de ces bars qu'elle avait rencontré Philippe, un garçon dégingandé et secret qui jouait du saxophone dans un cabaret de la rue Marbeuf. Philippe ne la questionnait pas comme Schwartz. Il parlait peu et se contentait le plus souvent de la regarder en rêvant.

— A quoi penses-tu ? demandait-elle.

— A toi.

— Qu'est-ce que tu penses de moi ?

Il répondait par un geste vague.

— C'est très compliqué.

Quand, après l'amour, elle restait étendue sur le lit, il saisissait son saxophone pour improviser des mélodies à la fois ironiques et tendres. Elle ignorait tout de lui, sinon qu'il était de mère russe et qu'il avait une sœur. Il occupait un studio meublé, rue Montenotte, où il était arrivé à Betty, par jeu, de raccommoder ses chaussettes.

Il savait qu'elle était mariée et qu'elle avait des enfants, car elle le lui avait dit, mais il ne lui posait jamais de questions.

A la fin, il était devenu un besoin. Les heures passées avenue de Wagram étaient du temps neutre, indifférent, comme celui qu'on perd dans une salle d'attente. Elle avait hâte d'être l'après-midi pour aller rejoindre Philippe. Le concierge la saluait au passage, l'appelait la petite dame si mignonne. C'était Betty qui apportait des bouteilles achetées chez l'épicier de la place des Ternes, des gâteaux, des friandises.

Il n'avait pas vingt-quatre ans et il restait gauche, sans défense dans la vie, indifférent à son avenir. Quand elle s'efforçait de lui inspirer de l'ambition, il se contentait de sourire d'un sourire un peu voilé.

— Tu parles comme ma sœur.

On aurait pu croire qu'il ignorait que des millions de gens vivaient autour de lui, se bousculant, jouant des coudes et, dans la rue, il emportait autour de lui comme un halo de solitude.

— Qu'est-ce que tu ferais si je ne venais pas te voir ?

— Je ne sais pas, puisque tu viens. Peut-être irais-je te chercher ?

— Où ?

— Chez toi.

— Et mon mari ?

Il ne répondait pas. Il ne se posait pas de questions à lui non plus.

— Demain ?

— Demain.

Or, le dernier lendemain, justement, Betty n'avait pas pu se rendre rue Montenotte. La générale Etamble était arrivée à Paris sans crier gare, profitant à la dernière minute de la voiture d'une amie qui avait un chauffeur. Marcelle avait, chez le dentiste, un rendez-vous qu'il était impossible de remettre et c'est à Betty qu'était échu le soin de tenir compagnie à sa belle-mère.

C'était le jour de.sortie d'Elda, qui était chez une amie, en banlieue, d'où elle ne reviendrait que par le dernier train, un peu avant minuit.

Après le déjeuner, au moment de se rendre à son bureau, Guy avait lancé à sa femme :

— Je te confie maman et, ce soir, c'est moi qui l'accompagne au théâtre.

Car elle était surtout venue à Paris pour voir une pièce nouvelle. L'après-midi avait été interminable et, jusqu'à ce que Marcelle revienne de chez son dentiste, Betty n'était pas parvenue à s'isoler un instant pour téléphoner à Philippe.

— Je te dis deux mots en vitesse. Il y a du monde derrière la porte. Il m'est impossible de m'échapper cet après-midi. Je te téléphonerai ce soir vers neuf heures.

En l'absence d'Elda, c'était la bonne qui s'occupait surtout des enfants mais, la générale étant là, Betty était forcée de jouer à la vraie mère.

On avait dîné de bonne heure, chez Antoine. Guy et sa mère étaient partis pour le théâtre. Quand Betty était revenue au troisième, Olga traînait dans l'appartement.

— Vous pouvez monter. Je ne bouge pas d'ici.

On aurait dit qu'Olga avait un soupçon car elle ne se décidait que de mauvaise grâce à gagner sa chambre au septième étage.

— Allô ! C'est toi ?

Il lui répondait ironiquement par quelques notes de saxophone.

— Tu es triste ?

Un glissando de clown musical.

— Réponds-moi, Philippe. Je suis à bout de nerfs. Si tu savais quel après-midi j'ai passé !

— Et moi !

— Je t'ai manqué ? Ecoute. Tu sais où j'habite. Les enfants dorment. La nurse est en congé. La bonne vient de monter se coucher et mon mari est au théâtre.

— Alors ?

— Tu ne comprends pas ?

— Si.

— Tu ne parais pas enthousiaste.

Il hésitait.

— Il y a longtemps que j'en ai envie. Tu comprendras mieux quand tu seras venu ici.

En peignoir, elle l'avait guetté derrière la porte, se demandant pourquoi il restait si longtemps en chemin. Quand il fut enfin près d'elle, il lui sembla qu'elle avait risqué de le perdre et elle resta longtemps, contre la porte, les lèvres collées aux siennes.

— Viens.

Elle le conduisait au salon, lui faisait signe de marcher sur la pointe des pieds, de parler à voix basse.

— Tu as peur ?

— Non.

— Tu n'es pas content de voir où je vis ?

Elle lui désignait le piano, les tentures de velours, les cadres dorés.

— Viens près de moi.

Elle était fébrile, avec une drôle de lueur dans les yeux. Elle voulait le voir sur le canapé familial, où elle passait tant de soirées assise à côté de Marcelle et où, l'après-midi, la générale avait pris place.

C'était une vengeance. Elle avait dû insister pour décider Philippe à venir et, s'il n'était pas venu, elle en aurait été profondément déçue. Le mot salir ne lui venait pas à l'esprit sur le moment, mais c'était bien ce qu'elle avait l'intention de faire.

— On dirait que tu hésites. Tu parais intimidé.

Se levant d'un bond, elle arrachait son peignoir sous lequel elle ne portait rien et faisait mine de danser, toute nue pour la première fois au milieu du salon des Etamble.

— Les enfants ? objectait-il.

— Ils sont là, derrière cette porte. Il y a un couloir, une autre porte à gauche, celle de leur chambre. Ils dorment. Attends !

Elle entrebâillait le battant.

— Ainsi, au cas où Marcelle se lèverait, nous l'entendrions.

Il ne partageait pas son enthousiasme, restait gêné, comme s'il sentait que n'importe quel homme, ici, ce soir, l'aurait mise dans le même état frénétique.

C'était un vieux compte qu'elle réglait soudain, pas tant avec son mari qu'avec la famille, qu'avec un monde, un mode de vie, une façon de penser.

Exagérant son impudeur, elle prenait l'initiative, le forçait à la prendre et il voyait tout près de lui ses yeux brillants de triomphe, ses petites dents serrées.

— Entre, maman. Je téléphone à Antoine de descendre. Etends-toi sur...

Ni Betty ni Philippe n'avaient entendu la porte de l'appartement s'ouvrir, des pas sur la moquette de l'entrée. La porte vitrée du salon s'ouvrait à son tour et les amants restaient un moment immobiles, trop surpris pour penser à se désaccoupler.

Philippe, qui ne s'était pas dévêtu, fut debout le premier et, tête baissée, attendait ce que le mari allait décider.

Quant à Guy, le regard fixe, il soutenait toujours sa mère, qui s'était sentie mal au théâtre, et faisait signe à l'homme de s'en aller.

Betty, toujours nue, était obligée d'aller ramasser son peignoir au milieu de la pièce tandis que sa belle-mère protestait, devant le canapé où l'on voulait l'asseoir :

— Pas là-dessus.

Son fils l'installait dans un fauteuil.

— Donne-moi vite mes gouttes. Dans mon sac. Vingt gouttes...

Il courait à la cuisine, en revenait avec un verre d'eau, se heurtait presque, dans le corridor, à Betty qui se dirigeait vers leur chambre.

Elle savait que c'était fini et n'était pas malheureuse. Tout ce qu'elle souhaitait maintenant, c'est que les choses aillent vite et elle s'habillait avec des gestes saccadés, choisissait un tailleur sombre, un béret noir.

Elle espérait encore partir par l'escalier de service, évitant des explications. Quelqu'un avait dû y penser, car Marcelle vint frapper à la porte.

— Guy te demande au salon.

Antoine était là aussi. La poitrine de la générale se soulevait toujours en tempête.

Guy était devenu un étranger, un homme froid et méthodique comme on imagine les grands banquiers. Il parlait au téléphone, dans son bureau dont la porte était restée ouverte.

— Je vous remercie, Maître Aubernois. C'est entendu. Du moment que vous avez compris ce que je désire...

Il se levait, se tournait vers sa femme, sans curiosité, sans colère apparente, sans émotion d'aucune sorte.

— Viens.

— Où ?

— Ici. Assieds-toi. Ecris.

... renonce à mes droits maternels et m'engage à signer par la suite toutes pièces que...

Cela ne se passait pas sur la terre, dans une grande ville, dans une maison où des gens dormaient paisiblement, mais dans un monde de cauchemar où les gestes, au ralenti, se prolongeaient, et où des voix sans timbre ressemblaient à un écho.

— Voici un chèque pour tes premiers besoins. Dès que tu me feras connaître ton adresse, je t'enverrai tes affaires et, par la suite, mon avocat prendra contact avec toi.

Même la générale s'était levée comme on se lève à l'église ou à un moment solennel. Ses mains étaient jointes sur sa poitrine. Ses lèvres frémissaient comme si elle avait l'intention de parler, mais elle ne prononça pas une parole.

Tous les quatre, très droits, la regardaient passer entre eux et se diriger vers la porte.

Elle n'avait pas demandé à embrasser une dernière fois les enfants. Elle n'avait rien dit. Elle oublia de refermer la porte et un des quatre, elle ne sut pas lequel, rompit son immobilité pour la refermer sur elle.

Elle dédaigna l'ascenseur et, sur le trottoir, se mit à marcher très vite dans la pluie en rasant les murs.

6

— ENTREZ, docteur.

Vêtu de bleu marine, sa trousse noire à la main, il ressemblait à un de ces Français qui défilent derrière un drapeau aux Champs-Elysées et il avait de minces rubans de plusieurs couleurs à sa boutonnière. On sentait que la vie, pour lui, était une chose sérieuse, réfléchie, y compris la façon de se comporter dans une chambre de malade.

— Ainsi donc, vous vous sentez souffrante, prononçait-il comme on accorde un instrument, encore debout, en regardant de haut en bas Betty qui ne battait même pas des cils pour l'accueillir. Nous allons voir ça. Vous permettez que je me lave les mains ?

Il savait le chemin de la salle de bains. Il devait connaître toutes les chambres de l'hôtel. Il revenait en se frottant doucement les paumes, amenait une chaise au chevet du lit.

— Vous souffrez beaucoup ? questionna-t-il

en saisissant le poignet de Betty et en lui prenant le pouls.

Elle faisait signe que non.

— Vous n'avez mal nulle part ? Pas de maux de tête ? Pas de contractions dans la poitrine et dans l'abdomen ?

Elle se contentait de répondre par gestes et il se tournait vers Laure qui faisait mine de quitter la chambre.

— Restez, je vous en prie. A moins que votre amie y voie un inconvénient. Le pouls est maintenant à soixante.

Il ne paraissait pas surpris par l'attitude de sa patiente et on aurait pu croire qu'il traitait toute la journée des cas identiques. Posant sa trousse sur le lit, il y prenait le tensiomètre avec lequel il semblait avoir quelques difficultés.

— Tendez votre bras gauche... Sans raideur... Fort bien... Je prends simplement votre tension...

Elle le voyait, la mine grave, qui fixait la petite aiguille sur le cadran tandis qu'elle sentait battre le sang dans l'artère. Il s'y reprenait à deux fois, à trois fois.

— 9.5. Vous ne savez pas si, d'habitude, vous avez une tension basse ?

Et, s'adressant à Laure, comme s'il ne comptait plus sur Betty pour le renseigner :

— Qu'a-t-elle pris ce matin ? Elle a déjeuné ?

— Elle n'a rien voulu prendre.

— Pas même une tasse de café ?

— Non.

On avait l'impression de le sentir penser, suivre un raisonnement auquel il était habitué comme un cheval de cirque qui change automatiquement de pas au même endroit de la piste. Avec les mêmes gestes précis, méticuleux, il remettait son appareil en place, prenait le stéthoscope dont il posait les deux bouts dans ses oreilles.

— Respirez la bouche ouverte... Bien... Encore... Continuez... A présent, toussez...

Elle obéissait en remarquant qu'il avait des touffes de poils dans le nez et dans les oreilles.

— Respirez encore... Moins fort... Cela suffit... Pouvez-vous vous asseoir ?

Elle se soulevait avec plus de peine qu'elle l'aurait pensé, lasse, sans la moindre énergie.

— Ce ne sera pas long...

Il appliquait le disque de métal à deux ou trois endroits du dos, insistait sur un des points, le plus haut, comme s'il découvrait quelque chose d'anormal.

— Retenez votre respiration... Bien... Aspirez... Vous pouvez vous étendre...

Et, sur la poitrine, il en revenait à un point qui devait correspondre à celui qui l'avait intéressé dans le dos. Quand il écoutait de la sorte, son œil devenait fixe et sans expression comme celui d'une poule.

— Vous voyez souvent votre médecin ?
— Pas très souvent.
Elle avait parlé sans s'en rendre compte, à contrecœur, car elle s'était promis de subir cet examen sans y prendre aucune part.
— Vous avez fait des maladies graves ?
— La scarlatine, à trois ans.
Il portait le stéthoscope en collier et, de sa main nue, palpait le haut du torse, insérant ses doigts entre les côtes.
— Je vous fais mal ?
— Non.
— Et ici ?
— Un peu.
— Comme ceci ?
— Plus fort.
— Il vous arrive d'avoir des douleurs à cet endroit ?
— Pas à un endroit précis. Dans toute la poitrine.
Rejetant la couverture, il lui palpait le ventre par-dessus la chemise de nuit.
— Vous êtes allée à la selle ce matin ?
— Non.
— Et hier ?
— Je ne sais plus. Non. Hier non plus.
Toujours grave, il choisissait un autre instrument, un petit marteau de nickel.
— N'ayez pas peur.
Elle savait ce qu'il allait faire. Ce n'était pas la

première fois qu'on l'examinait de la sorte. Ensuite il lui grattait la plante des pieds avec un objet pointu, un cure-dent de métal qu'il avait pris dans la poche de son gilet et qui la fit penser à Bernard et à ses lapins.

— Vous sentez quelque chose ?

— Oui.

— Encore ?

— Oui.

Il échangeait un coup d'œil avec Laure qu'il traitait un peu comme la mère, la sœur aînée ou comme une infirmière. Son dernier geste, avant de ranger ses instruments, fut de lui soulever les paupières.

— Vous avez parfois des vertiges ?

— J'en ai eu ces derniers jours.

— Assez forts pour perdre l'équilibre ?

— Non.

— Vous avez reçu récemment un choc affectif ?

Elle ne répondait pas et c'était au tour de Laure de faire signe que oui.

— En plus, disait Laure, nous avons beaucoup bu l'une et l'autre. La nuit dernière, je lui ai donné deux phénobarbital à 10 centigrammes. Elle a dormi d'un sommeil calme. C'est le téléphone qui l'a réveillée et, depuis, elle est comme vous la voyez.

Il se tournait vers Betty, lui tapotait l'avant-bras.

— D'abord, dites-vous bien, madame, que vous n'avez aucune maladie organique et que vos troubles fonctionnels disparaîtront avec le calme et un repos complet.

Il semblait, des yeux, demander conseil à Laure avant de continuer.

— Mon amie est seule ici, docteur. Elle traverse une période difficile.

— Je comprends ! Je comprends ! Le mieux, bien entendu, serait un séjour en clinique. Est-ce qu'une raison s'y oppose ?

Sans le regarder, Betty laissa tomber :

— Je ne veux pas.

— Remarquez que je n'insiste pas. Si vous avez le courage de vous soigner seule et surtout d'être sévère avec vous-même, vous vous rétablirez ici comme ailleurs. Recevez-vous des visites ?

— Aucune, répondit Laure à sa place.

— J'aime mieux ça. Pas de sorties non plus, pendant quatre ou cinq jours au moins et, à ce moment-là, de courtes promenades dans le parc de l'hôtel. Jusqu'à demain matin, aucune nourriture, sinon, ce soir, à la rigueur, un léger bouillon de légumes.

Il avait tiré un carnet de sa poche et écrivait consciencieusement tout ce qu'il disait. Pas de visites. Pas de sorties pendant cinq jours. Diète liquide jusqu'à... Il réfléchit pour se rappeler le jour... Jusqu'à samedi matin...

— Vous ne craignez pas les piqûres ?

On la traitait comme une enfant ou comme une idiote.

— Je vous en ferai une avant de partir et, ce soir, vous prendrez un des comprimés que je vais vous ordonner. Vous continuerez chaque soir pendant trois jours. D'autre part, deux fois par jour, au repas de midi et à celui du soir, une petite dose de réserpine.

Il prenait une seringue stérilisée dans une boîte en métal entourée de sparadrap, limait le bout d'une ampoule et ses gestes, sa voix, faisaient penser à un rituel, à un cérémonial religieux...

— Tournez-vous légèrement... Cela suffit...

Il saisissait sa chemise à deux doigts pour la relever en évitant de dénuder le bas-ventre.

— Je ne vous ai pas fait trop mal ?

C'était fini. Il remettait ses affaires en place.

— Mme Lavancher me téléphonera si, d'ici demain soir, vous aviez besoin de moi. Sinon, je passerai après mon cabinet, entre six et sept heures.

Il cherchait des yeux son chapeau qu'il avait laissé chez Laure et tout à coup, alors qu'il conversait avec celle-ci dans le couloir, Betty regretta de l'avoir laissé partir.

Il n'avait fait que des gestes professionnels, prononcé que des phrases qu'elle connaissait si bien qu'elle prévoyait chaque fois la suivante et pourtant il venait, pour un temps, de la replonger dans un monde rassurant.

Pendant un quart d'heure, quelqu'un s'était occupé d'elle comme si elle en valait la peine, comme si sa vie avait de l'importance.

Que disait-il à Laure ? Femme de médecin, elle avait suivi, elle, sur le visage de l'homme, les hypothèses qu'il éliminait une après l'autre. Lui racontait-elle ce qui était arrivé à Betty, à tout le moins ce qu'elle en savait ?

Car elle ne savait pas tout. Elle ne connaissait rien du plus grave. D'ailleurs, Laure, malgré tout, avait appartenu à *leur* milieu. Elle restait un peu de leur bord, quoi qu'elle fasse, comme le docteur.

Cela n'aurait servi à rien de parler, car ils n'auraient pas compris.

— Vous désirez vous reposer ?

Toujours son battement de paupières.

— Je peux vous rassurer sans arrière-pensée. Le docteur m'a parlé, dans le couloir. A certain moment, quand il vous auscultait, j'ai bien vu qu'il était inquiet. Il a pu craindre, en effet, une asthénie neuro-circulatoire, ce qui n'est d'ailleurs pas grave, mais embêtant.

« Après son examen, il est formel. Vous souffrez du contrecoup de vos émotions des derniers jours. C'est moi qui vais vous soigner et je vous avertis que je serai sévère.

Sa bonne humeur faisait long feu. Betty ne réagissait pas.

— Vous somnolerez sans doute pendant deux ou trois heures. C'est l'effet de la piqûre. Je donnerai des instructions pour qu'on vous prépare un bouillon de légumes. Pour le moment, je vous laisse. A tout à l'heure, Betty.

Peut-être avait-elle eu tort de refuser d'entrer en clinique ? On l'aurait envoyée dans une de ces maisons de repos des environs de Paris où les journaux racontent périodiquement que telle vedette fait une cure. Cela lui semblait gris et morne. Ici aussi c'était morne, mais elle avait la possibilité de partir sans en demander la permission à personne. Quand elle serait moins lasse, elle s'en irait.

Elle entendait la sonnerie du téléphone, à côté, la voix amortie de Laure.

— Oui... Oui... Non... Elle va bien... Elle est couchée, oui... Le docteur est venu... Je t'expliquerai... Pas tout de suite... Comment ?... Mettons plutôt deux... C'est cela... A tout à l'heure...

Mario, elle en était sûre, était à l'autre bout du fil. Mario voulait venir dans une heure et Laure lui avait demandé d'en attendre deux pour être sûre que Betty serait endormie.

Elle savait, elle, qu'elle ne dormirait pas. Le médicament qu'on lui avait injecté lui engourdissait le corps, alourdissait ses paupières, qui étaient chaudes, mais ne lui procurait pas le sommeil.

Elle continuait à penser, surtout par images, et toutes les images étaient du même gris, avec moins de contrastes que le matin, moins de substance dramatique.

Elle les dévidait avec lassitude, comme on tourne les pages d'un livre qu'on est obligé de feuilleter jusqu'au bout. Il lui semblait que c'était important, que c'était un devoir de faire face.

Les mots n'avaient peut-être pas, dans sa tête, leur sens de tous les jours mais, pour elle, ils étaient clairs et c'était le principal.

Elle devait faire face au lieu de toujours essayer de fuir. Or, ce n'était pas faire face que de boire pour se donner l'illusion du courage, puis de parler à Laure d'une voix haletante et de finir par s'écrouler.

Elle avait toujours pressenti qu'au bout il y avait une catastrophe, même avant de connaître Guy. Enfant, elle regardait les autres petites filles comme si elles possédaient quelque chose qu'elle n'avait pas. Il est vrai qu'à d'autres moments elle était contente, sinon fière, d'être elle-même, car il lui semblait alors que c'était elle qui était plus complète.

La question ne se posait plus. C'était arrivé. Elle ne leur avait rien dit en se dirigeant vers la porte tandis que tous les quatre, debout dans le salon, la regardaient partir. Avait-elle eu honte ? Elle aurait bien voulu, après coup, se persuader qu'elle n'avait pas eu honte, car, si elle avait eu honte, cela prouvait qu'ils avaient raison et qu'elle avait tort.

Elle ne se rappelait plus si elle avait baissé la tête ou si elle les avait regardés en face. Elle devait les avoir regardés, puisqu'elle revoyait nettement chaque visage avec son expression.

Pourquoi avait-elle signé sans protester ? Par fierté ? Par indifférence ?

Pourtant, une fois dehors, dans la pluie, elle se mettait à courir au ras des maisons et elle était entrée, essoufflée, comme pour y chercher refuge, dans le bar illuminé qui fait le coin de l'avenue de Wagram et de la place des Ternes.

Il y avait beaucoup de monde, un comptoir en cuivre rouge, des plateaux chargés de verres de bière qui passaient à hauteur de sa tête et, autour des tables, des hommes et des femmes qui mangeaient.

— Un whisky.

— Avec de la glace ?

— Oui. Mettez-le double.

— De l'eau gazeuse ?

— Cela m'est égal.

Elle l'arrachait presque des mains du barman pour le boire avidement et certains, autour d'elle, la regardaient avec réprobation.

— Versez-m'en un autre.

Elle cherchait de l'argent dans son sac et le chèque faillit tomber dans la sciure. Elle le rattrapa au vol. Est-ce qu'elle se serait baissée pour le ramasser entre les jambes ? Peut-être pas.

Elle buvait, s'en allait, marchant toujours aussi vite, des gouttes d'eau sur le visage. Se faufilant entre les autos, elle arrivait, le cœur battant, rue Montenotte, et se précipitait vers l'ascenseur.

La concierge ouvrait la porte vitrée de sa loge.

— Il n'est pas là, ma petite dame.

— Il n'est pas rentré ?

— C'est-à-dire qu'il est rentré, il y a à peu près une demi-heure, mais, dix minutes plus tard, il est redescendu avec sa valise et son instrument. Il m'a demandé de lui appeler un taxi. Il paraissait si pressé que j'ai pensé qu'il avait un train à prendre.

« — Votre sœur est malade ? lui ai-je demandé.

« Car je sais, par les lettres qu'elle lui envoie, qu'elle habite Rouen.

— Qu'a-t-il répondu ?

— Il n'a pas répondu. On aurait dit qu'il avait peur. Quand j'ai exigé de savoir s'il resterait longtemps absent, il a haussé les épaules.

« — Vous pouvez disposer du studio.

« Voilà ! Je suppose qu'il n'a pas l'intention de revenir. Comme le loyer est payé d'avance, je n'avais pas le droit de le retenir, d'autant plus que le taxi est arrivé presque tout de suite et qu'il m'a donné une bonne pièce. »

Quelle heure était-il à ce moment-là, elle l'ignorait, et, dès lors, pendant trois jours et trois nuits, elle allait perdre la notion du temps, des repas, du sommeil.

Elle avait pleuré en marchant dans l'obscurité des trottoirs, sans se préoccuper de la direction qu'elle prenait, et il lui arrivait de se parler à elle-même.

— *Ce n'est pas juste. J'aurais dû lui dire.*

Elle se retrouvait avenue Mac-Mahon puis, choisissant toujours les rues les moins éclairées, elle avait atteint la porte Maillot.

Elle était entrée dans un bar, le plus petit, le plus sombre. Elle avait commandé un whisky. Il n'y en avait pas. Elle avait bu de la fine à l'eau et une femme très maquillée, au gros derrière, mal en équilibre sur des talons-aiguille, la regardait en essayant de comprendre.

Elle devait commencer à être ivre. Elle ne s'en rendait pas compte et son idée était toujours de retrouver Philippe. Elle avait pris la mauvaise direction. Il lui fallait revenir sur ses pas. Elle ne pensait pas à prendre un taxi et, d'ailleurs, Philippe ne commençait pas son travail avant minuit.

Il ne devait pas être si tard. Il avait bien été obligé de déposer sa valise quelque part avant de se rendre à son cabaret. Il avait eu peur de Guy, c'était naturel.

Elle avait hâte de le rassurer. Elle était libre, à présent. Elle ne s'imposerait pas à lui. Il était trop jeune pour s'encombrer d'une femme. Il pourrait néanmoins la voir autant qu'il voudrait.

Elle marchait, s'efforçant de ne pas perdre de vue l'Arc de Triomphe. Elle ignorait combien d'argent elle avait dans son sac. Si Philippe avait besoin d'argent, il y avait le chèque, qu'elle était prête à lui donner.

Elle avait dû s'arrêter ailleurs. Un homme l'avait saisie par le bras en lui disant des mots grossiers et elle s'était sentie prise de panique.

La boîte de nuit où Philippe travaillait s'appelait le Taxi. Elle n'y était jamais allée. Elle ne la trouvait pas. Elle regardait les enseignes au néon les unes après les autres et c'est en fin de compte le portier d'un autre cabaret qui lui avait désigné l'enseigne la moins lumineuse, en petites lettres rouge sombre, tout au bout de la rue.

A l'intérieur, on étouffait. C'était moins grand que le salon de l'avenue de Wagram, plein de fumée et de musique stridente. Des grappes d'hommes accrochées au bar et, à un mètre d'eux, une femme se déshabillait sous la lumière des projecteurs.

Les musiciens portaient un smoking bleu clair. Elle cherchait Philippe des yeux, ne le voyait pas.

— Philippe n'est pas ici ? demandait-elle au barman, en se haussant sur la pointe des pieds.

— Quel Philippe ? Le saxo ?

— Oui.

— Je ne sais pas. Je ne l'aperçois pas. Il a dû se faire remplacer.

Un homme voulait lui offrir à boire et avait déjà la main sur ses cuisses.

Pas encore. Pas ici. Philippe avait abandonné son logement et n'était pas venu travailler. Cela signifiait qu'il avait fait comme Schwartz.

Disparu. Volatilisé dans Paris. Si elle tenait à le retrouver, il lui faudrait, les jours suivants, aller de cabaret en cabaret, de l'Etoile à Montmartre et à Montparnasse, prospecter tous les endroits où l'on joue de la musique.

— Dès que tu auras une adresse... avait dit son mari.

La solution logique était d'entrer dans un hôtel et d'y louer une chambre avant de faire venir ses affaires. Mais comment aurait-elle pu s'enfermer, seule, entre quatre murs, se glisser dans un lit et dormir ?

Un bar encore. Au Taxi, elle n'avait pas bu. Elle avait besoin de se saouler le plus vite possible. Elle revoyait des éclairages différents, presque toujours un miroir derrière les verres et les bouteilles, souvent des filles, à côté d'elle, qui l'observaient, comme si elle leur posait un problème.

— Un whisky… Double…

Le mot « sale » lui était revenu à l'esprit, à cause de ses souliers maculés de boue, de ses pieds mouillés.

Elle commençait à être sale. La volonté d'aller jusqu'au bout se faisait jour dans sa conscience. Puisqu'elle n'était pas parvenue à être la plus propre, ne valait-il pas mieux, tant qu'elle y était, devenir la plus sale ?

Elle n'avait pas envie de dormir. Ce qu'elle voulait, c'était ne pas rester seule.

Elle n'était déjà plus seule. Un homme payait sa consommation, la poussait par le bras vers le trottoir, dans une rue tranquille où on distinguait la lumière d'un hôtel. Ils franchissaient une porte vitrée. Une femme rousse, assise au bureau, les regardait passer et, levant la tête, criait dans l'escalier :

— Le 3 est libre, Maria ?

— Tout de suite, madame.

— Vous pouvez monter.

Un couloir étroit, au tapis usé. Une odeur inconnue. Une porte ouverte sur une chambre dont le lit n'était pas défait mais où la servante changeait vite les serviettes.

— C'est mille francs sans le service.

Betty était tellement ivre que, la femme partie, elle s'affala toute habillée sur le lit et faillit s'endormir. Elle se souvenait à peine du visage de l'homme. Il était assez gros, avec des yeux bleus, et il portait une large alliance en or rouge au doigt.

— Déshabille-toi.

Elle essayait, n'y parvenait pas, retombait dans sa somnolence. Il n'était pas resté longtemps. L'air gêné, il avait posé un billet sur le sac à main de Betty.

Elle dormait enfin, s'enfonçait à toute vitesse comme un ascenseur dont le câble a lâché.

On lui secouait l'épaule.

— Debout, ma fille.

Elle ne comprenait pas ce qu'on lui voulait, pourquoi on la brutalisait.

— Allons ! Fais pas l'innocente. La demi-heure est passée.

— Je veux dormir.

— Tu dormiras ailleurs. Si tu ne files pas tout de suite, j'appelle M. Charles.

Il était venu, en bras de chemise et en pantoufles.

— Qu'est-ce que Maria me dit ? Que tu refuses de quitter la chambre ?

Il la mettait debout, vacillante, le regard flou.

— Je vois ce que c'est. Je n'aime pas ça ici. Surtout que je parie que tu n'es même pas en règle. Je ne tiens pas à avoir des ennuis et j'ai besoin de la chambre.

Dans la rue, elle titubait. Il y avait de grands trous dans sa mémoire. Elle avait mangé des œufs durs en buvant du café qui avait mauvais goût et elle était allée vomir dans des toilettes mal tenues.

Un homme presque aussi saoul qu'elle, à l'accent étranger. Elle ne savait plus si c'était cette nuit-là ou la suivante.

Si c'était la suivante, elle était incapable de dire comment elle avait fini la première nuit.

Ils buvaient ensemble, dans un endroit où les consommateurs étaient serrés les uns contre les autres et, devant tout le monde, il promenait sa main sur sa croupe et sur ses seins avec un air satisfait de propriétaire. Quelqu'un lui avait adressé une remarque et une bagarre avait failli éclater.

Dehors, il pleuvait toujours et ils marchaient en se tenant bras dessus bras dessous. Elle lui parlait de Philippe, s'efforçant de lui expliquer que c'était un malentendu, qu'il s'était alarmé pour rien, parce qu'il était très jeune et surtout très doux.

— Un pauvre petit, tu comprends ? Il est nécessaire que je le retrouve. C'est de toute première importance, parce qu'il ne va plus oser se montrer. Il se figure que Guy lui en veut. Guy ne l'a même pas regardé et serait incapable de le reconnaître dans la rue. La vérité, si tu veux la vraie vérité, c'est que Guy savait déjà tout. Tu comprends ? Pas bête, le Guy !

Elle était ivre. Cependant, elle n'était pas sûre de s'être trompée. Déjà avant, il lui était arrivé d'y penser. Guy avait cessé assez vite de lui demander l'emploi de ses après-midi.

Qui sait s'il ne préférait pas cette solution-là ? Qui sait même comment les choses auraient tourné si, lorsqu'il était rentré et les avait surpris, Philippe et elle, sur le canapé du salon, sa mère ne l'avait pas accompagné ?

Cela ne servait plus à rien de se poser des questions. Il n'avait jamais attaché d'importance à son passé. Il l'aimait à sa façon, sans complications, d'un amour confortable. Il ne cherchait pas à savoir ce qu'elle avait dans la tête. Tout au plus lui arrivait-il de demander, en homme qui connaît la réponse :

— Tout va bien ? Tu es heureuse ?

Du moment qu'elle répondait oui, il n'allait pas plus avant.

Elle se revoyait, avec l'étranger, au beau milieu d'une avenue, avec des voitures qui passaient des deux côtés, des chauffeurs qui leur criaient des injures et l'homme qui questionnait, soudain méfiant :

— Où m'emmènes-tu ?

— Je ne sais pas. C'est toi qui m'emmènes.

— Moi ? Où est-ce que je t'emmènerais ?

Ils avaient eu une discussion embrouillée.

— Tu ne sais pas où on peut aller ?

— Non.

— Tu n'es pas une voleuse, au moins ?

Il la regardait dans les yeux comme pour l'hypnotiser.

— Alors, on va essayer mon hôtel. Je ne suis pas sûr qu'on te laissera entrer.

Ils avaient pris un taxi, l'avaient arrêté quelque part devant un bar pour boire un dernier verre. L'hôtel était du côté des Galeries Lafayette, avec un escalier de marbre et un tapis rouge.

L'homme avait trop bu pour arriver à ses fins. Il ne s'obstinait pas moins, exigeant l'aide de sa compagne. Courbaturée, prise de vertiges, elle retombait toutes les cinq minutes dans le sommeil et il finit par y sombrer aussi.

Elle aurait été capable de dormir toute la journée et peut-être encore la nuit suivante. Elle se sentait malade. Il lui semblait qu'il faisait à peine jour quand il l'avait forcée à se rhabiller parce qu'il avait un avion à prendre.

Il était plus tard qu'elle ne le pensait. Les trottoirs étaient noirs de monde avec, à une certaine hauteur, une mer de parapluies.

Elle errait, immatérielle, dans la foule en chair et en os et il lui arrivait de s'arrêter net au bord du trottoir pour regarder passer les voitures. Elle ne pensait plus à Philippe, ni à Guy, seulement, parfois, à la lettre, à la honte d'avoir signé un papier par lequel elle vendait ses deux filles.

Cela tourna à l'idée fixe et elle en parlait à mi-voix, poussait la porte d'un bar.

***

— Entre. Ne fais pas de bruit. Je crois qu'elle dort.

Mario avait frappé si discrètement à la porte que Betty n'avait rien entendu. Mais elle entendait le chuchotement de Laure. Elle savait qu'ils s'embrassaient.

— Je vais m'en assurer.

Elle fermait les yeux, sentait une présence tout près d'elle, quelqu'un qui se penchait, s'éloignait en évitant de faire craquer le parquet et mettait la porte contre.

Elle ne pouvait plus distinguer les mots, seulement un murmure, comme on en entend à la porte des confessionnaux. On débouchait une bouteille. On remplissait des verres. Le ton de la conversation était calme, uni, avec, de loin en loin, un rire étouffé de Mario.

Il ne s'était pas assis, allait et venait dans la pièce, puis le lit grinçait légèrement comme si Laure s'y étendait.

Le jour baissait. Laure avait dû parler de Betty et il sembla à celle-ci qu'à un certain moment Mario venait jusqu'à la porte pour regarder par la fente.

Dans des milliers de chambres, au même

moment, des couples, dans la pénombre, bavardaient de la même façon en fumant une cigarette et en buvant un verre.

Pourquoi pour Betty, étendue dans son lit, cela devenait-il extraordinaire ? Mario avait l'habitude de venir voir Laure chez elle ; il était son amant ; ils se retrouvaient chaque soir au Trou où Laure prenait tous ses dîners.

Ils conversaient à mi-voix, sur un mode simple et tranquille, elle couchée, lui assis dans un fauteuil, et si, tout à l'heure, l'envie les prenait de faire l'amour, rien ne les en empêcherait. Ce n'était pas certain. Ce n'était pas indispensable. Ils étaient heureux ainsi, confiants, l'humeur légère.

Insidieusement, l'envie naissait chez Betty. Le sort n'était pas juste. Elle ne cherchait pas à préciser la nature de l'injustice mais elle se sentait frustrée comme si on lui eût volé quelque chose, à elle, comme si Laure, précisément, lui eût volé quelque chose.

C'était Laure qui l'avait choisie, en définitive, parmi tous les phénomènes, tous les tordus qui s'agitaient au Trou. Le médecin aux petites bêtes à peine escamoté, elle était venue s'asseoir à sa table, un verre à la main.

Betty ne l'avait pas appelée, ignorait même son existence.

Ignorait-elle, elle qui était femme de médecin, que Betty n'avait pas le droit de boire, qu'elle n'avait déjà que trop bu, qu'elle était physiquement et moralement au bout de son rouleau ?

Qu'avait-elle fait ? Elle lui avait rempli son verre, deux fois au moins, peut-être plus. Elle l'avait ramenée à l'hôtel sans lui demander son avis.

Elle l'avait soignée, certes, mais elle lui avait encore donné à boire, dès le lendemain matin, pour la pomper, pour lui soutirer des confidences, pour ajouter une histoire à sa collection.

Betty restait inerte dans la demi-obscurité, sans force, sans courage, assommée par elle ne savait quelle drogue que le docteur lui avait injectée et, pendant ce temps-là, à côté, ils bavardaient tous les deux comme des êtres qui se comprennent à mi-mot.

En quoi Laure avait-elle mérité d'être heureuse ? Car, déjà avant, elle avait été heureuse, pendant vingt-huit ans, avec son mari, elle s'en était vantée. Elle n'était pas restée longtemps seule, un an, avait-elle dit, et elle avait trouvé Mario presque tout de suite.

Pourquoi elle, alors que Betty avait tant essayé ? Rien ne troublait Laure. Elle allait et venait dans la vie, sereine, en regardant les autres avec indulgence.

Elle regardait Betty avec indulgence aussi et c'était justement l'indulgence, ce genre d'indulgence-là, dont elle ne voulait pas. Ce qu'elle voulait, c'était ce à quoi ses efforts lui donnaient droit.

Il n'y avait pas de justice. Dans quelques jours ou dans quelques heures, le 53 serait vide, Betty ailleurs, peu importait où. Et, dans la chambre voisine, Laure et Mario continueraient à se retrouver à la tombée du jour.

— *Que t'a-t-elle dit encore ?*

— *Elle m'en a tant raconté que j'en oublie. Vois-tu, c'est une malheureuse. Elle passera sa vie à courir après quelque chose sans jamais savoir quoi.*

— *Elle a des yeux de bête perdue.*

— *Elle finira peut-être, comme un chien perdu, par trouver une bonne âme qui l'adoptera.*

Ce n'était pas nécessairement les mots qu'ils prononçaient, mais elle n'avait pas l'impression d'inventer. Elle était sûre que c'était vrai, dans son essence, que c'était ainsi que ça se passerait. Laure regarderait Mario d'un air satisfait, rassuré, parce que, Betty partie, il ne risquerait plus de se laisser attendrir.

Ils se taisaient, à présent, elle comprenait bientôt pourquoi.

Serait-elle encore capable, elle, de faire l'amour, après ce qu'elle avait subi pendant trois jours et trois nuits ?

Ils étaient deux, chair à chair, salive mélangée, à prendre leur plaisir en silence, immobiles, et Betty fixait le ciel gris et les arbres noirs dans le miroir, les ongles enfoncés dans sa peau. Elle avait envie de crier, pour qu'ils s'arrêtent, pour qu'ils cessent d'être heureux.

La tentation lui vint de s'habiller et de partir, de sorte que, tout à l'heure, ils se trouvent penauds, et honteux devant la chambre vide.

Elle n'en avait pas la force. En outre, dès qu'elle paraîtrait dans le hall, le concierge ne s'empresserait-il pas d'avertir Laure ? N'avait-elle pas donné des instructions dans ce sens ? C'est à elle que le médecin avait parlé dans le couloir, lui déléguant en quelque sorte son autorité.

Il avait permis à Betty de ne pas entrer en clinique à la condition qu'elle ne quitterait pas la chambre, ne s'agiterait pas et ne recevrait pas de visites.

La fente de la porte s'éclaira. A côté, on venait d'allumer la lampe de chevet et Mario disait :

— Tu crois qu'elle dort toujours ?

— Si tu es inquiet, va voir, répondait Laure encore allongée. Donne-moi d'abord du feu.

— Cela me paraît étrange.

— Quoi ?

— Qu'elle passe tant de temps à dormir.

Ses pas se rapprochaient, s'éloignaient, se rapprochaient à nouveau de la porte qu'il se décidait à ouvrir un peu plus.

Il se mouvait sans bruit, comme on entre le

soir dans une chambre d'enfant, s'efforçait de distinguer le visage de Betty dans la pénombre. Pour mieux la voir, il faisait un pas en avant, se penchait, découvrait ses yeux ouverts, le doigt qu'elle tenait devant ses lèvres.

Elle lui souriait, complice, comme si elle mettait en lui sa confiance, et il lui souriait en retour, battait des paupières en signe d'accord, reculait aussi silencieusement qu'il était venu et remettait la porte contre.

— Alors ? Elle dort ?

— On le dirait.

Il ne mentait pas tout à fait, se contentait de tricher.

— Qu'est-ce que je t'avais dit ? Sers-moi un verre, veux-tu ?

Betty avait enfin fermé les yeux et respirait calmement.

7

LAURE ne lui avait pas parlé de la visite de Mario. Elle ne lui devait pas de comptes, évidemment. Le fait n'en était pas moins significatif et Betty n'était pas fâchée d'avoir ainsi un grief, si petit fût-il, contre sa compagne.

Elle n'aimait pas les gens qui se montrent toujours trop parfaits. Elle s'en méfiait. Après s'être jetée à sa tête, Laure ressentait déjà une certaine lassitude, le désir de reprendre son existence personnelle, surtout depuis que Betty était couchée et que le médecin lui interdisait de sortir et de boire.

— Vous avez bien dormi ?

Elle trichait, elle aussi, en répondant que oui.

— Vous avez faim ?

— Je ne sais pas.

— Je vais faire monter votre bouillon de légumes. Qu'est-ce que vous préférez : peu ou beaucoup de lumière ?

Cela lui était égal. Elle restait inerte et elle y

trouvait un plaisir secret. Laure allumait les lampes, allait et venait d'une chambre à l'autre. Le garçon d'étage apportait le bouillon et Betty s'asseyait dans son lit.

Tout cela leur paraissait long à l'une comme à l'autre. Le temps se traînait, ce soir, comme si chacune nourrissait une arrière-pensée.

Laure, dans sa chambre, se changeait, tournait en rond. Sa voix n'était pas tout à fait la même et on aurait dit qu'elle en faisait trop.

— Cela ne vous a pas paru fade ? Attendez que j'arrange votre oreiller. Vous ne préférez pas que la femme de chambre vienne refaire le lit ? Vous n'avez pas envie de vous rafraîchir ?

Tous ces mots, toutes ces phrases pour en arriver à :

— Vous m'en voudriez beaucoup si je vous laissais pendant deux ou trois heures pour aller dîner dehors ? Ce n'est peut-être pas charitable de parler ainsi quand vous êtes condamnée au lit, mais j'ai besoin d'air, de mouvement. S'il vous manque quoi que ce soit, vous sonnez. Je laisserai des instructions à Louisette. Au besoin, elle me téléphonera et je serai ici en quelques minutes. Vous n'êtes pas fâchée ? Vous n'avez pas l'impression qu'on vous abandonne ?

Betty, au contraire, était heureuse qu'elle parte. Elle attendait avec impatience d'être seule et, après avoir laissé s'écouler une dizaine de minutes, pour être sûre que son amie n'avait rien oublié et n'allait pas revenir, elle se leva, commença par fermer la porte de communication, sans raison précise, peut-être comme un symbole, et se dirigea vers la salle de bains.

Elle ne se sentait pas très forte et elle mit longtemps à faire sa toilette, à se coiffer, à se maquiller discrètement.

En choisissant une chemise de nuit dans le tiroir, elle retrouva un réveil de voyage et commença à le remonter.

— Allô, mademoiselle, voulez-vous me dire l'heure, s'il vous plaît ?

— Vous allez mieux ? Il est huit heures et demie. Exactement huit heures trente-deux minutes. Vous n'avez besoin de rien ?

— Merci.

Elle fixait les aiguilles. Pour la première fois, depuis l'avenue de Wagram, elle se préoccupait de l'heure, en avait conscience, et c'était déjà un retour à une certaine vie.

Elle aurait été capable, en dépit du médecin, de s'habiller seule et de sortir, d'appeler un taxi pour se faire conduire au Trou.

En se regardant dans le miroir, elle en était tentée, essayait d'imaginer la réaction de Laure en la voyant entrer, celle de Mario.

Il ne fallait pas. Cela ne servirait à rien, bien au contraire. Elle éteignait les lumières, sauf la lampe de chevet, se glissait dans les draps.

Elle n'avait pas l'intention de dormir. Elle ne

voulait pas non plus remâcher des souvenirs déprimants. Quelque chose se préparait, d'encore très vague, qu'il était imprudent de préciser, une issue possible.

Hier, ce matin, cet après-midi encore, elle était convaincue qu'il n'en existait aucune. Ce soir, elle vivait dans l'attente, luttant contre le sommeil qui l'engourdissait malgré elle et soudain, à neuf heures moins dix, sa main chercha le bouton marqué sommelier.

Elle avait besoin de café. Quelques minutes de plus, et elle aurait sombré. Jules frappait à la porte, inquiet, murmurait :

— J'appelle tout de suite la femme de chambre.

— Ce n'est pas la femme de chambre que je veux.

— Mme Lavancher m'a dit...

— Peu importe ce qu'elle vous a dit. Je désire une tasse de café noir.

— C'est différent.

Il hésitait quand même.

— Je suppose que je peux vous le servir. Vous êtes sûre que cela ne vous fera pas de mal ?

Un peu plus tard, il lui apporta un filtre et elle s'assit dans son lit. Elle attendait que le café soit passé quand le téléphone sonna. Elle tendit le bras, surprise que cela vienne si vite. Une voix d'homme prononçait :

— Mme Etamble ? Je ne vous ai pas réveillée ?

Je vous demande pardon de vous déranger. Un M. Etamble insiste pour vous parler.

— Il ne vous a pas dit son prénom ?

Elle pensait que c'était peut-être Antoine.

— Non. Je vais le lui demander.

— Ce n'est pas la peine. Passez-moi la communication.

— C'est qu'il est en bas.

Dans un murmure, comme s'il craignait d'être entendu par quelqu'un se tenant non loin de lui, il ajoutait :

— Il m'a posé beaucoup de questions, a insisté pour savoir si vous étiez seule, si vous aviez reçu des visites...

Pas un instant l'idée ne lui était venue que Guy pourrait avoir envie de la voir, ni même, si c'était Antoine qui attendait, de lui envoyer son frère. Florent, son avocat, n'avait-il pas déjà pris contact avec elle ?

— Faites-le monter.

Elle buvait une gorgée de café, se laissait glisser dans les draps pour reprendre sa pose de l'après-midi.

Jules, rébarbatif, précédait le visiteur dans le couloir et lui ouvrait la porte. C'était Guy, le chapeau à la main, embarrassé, qui essayait d'habituer ses yeux au faible éclairage.

— Je ne te dérange pas ?

Elle lui désignait une chaise de sa main lasse,

la chaise que le docteur avait occupée à son chevet.

— Assieds-toi.

— En te parlant au bout du fil, Florent a eu l'impression que tu n'étais pas dans ton assiette. Il m'a dit qu'il avait à peine reconnu ta voix. J'ai eu peur que tu sois malade ou qu'il te soit arrivé quelque chose.

— Je suis seulement fatiguée, très fatiguée. Cela passera.

Elle l'observait à la dérobée. Il était le même que d'habitude, un peu plus soucieux, un peu gauche. Il le faisait exprès, par pudeur, de choisir des phrases banales.

— Tu as vu un médecin ?

— Cet après-midi.

— Que dit-il ?

— Que je serai sur pied dans quatre ou cinq jours.

— Tu as quelqu'un pour te soigner ?

Elle regardait machinalement la porte de communication.

— Une amie. Elle est allée dîner et ne tardera pas à rentrer.

Elle ne ressentait aucune émotion à le voir et elle était même stupéfaite de constater à quel point il lui était étranger.

Elle avait peine à croire qu'elle était sa femme, que, pendant six ans, elle avait vécu avec lui, dormant chaque nuit dans son lit, qu'ils avaient ensemble deux enfants faits d'une part de chacun d'eux.

Guy avait-il la même impression ? Lui aussi la regardait furtivement avec l'air de chercher ce qu'il pourrait dire.

C'était elle qui parlait.

— Les enfants vont bien ?

— Très bien, sauf que Charlotte a un rhume de cerveau et est fâchée qu'on la garde à la maison.

— Ta mère est retournée à Lyon ?

— Pas encore. Elle est chez Antoine. Elle va mieux, mais il est préférable qu'elle ne voyage pas seule en ce moment. L'amie avec laquelle elle est venue a dû repartir. Il est probable que, dans deux ou trois jours, c'est Marcelle qui la reconduira.

C'était presque hallucinant. Ils parlaient comme si rien ne s'était passé, prononçaient les mêmes mots, bien qu'il ne subsistât aucun lien réel entre eux.

Betty ne comprenait pas encore pourquoi il était venu, avait du mal à croire que c'était seulement pour prendre de ses nouvelles. Il aurait pu envoyer Florent ou, à la rigueur, Antoine. Il aurait même pu se renseigner au bureau de l'hôtel. Il l'avait d'ailleurs fait. Alors ? A quoi bon monter ?

Posant son chapeau sur le tapis, il se levait, car il n'avait jamais pu rester longtemps assis, surtout pour un entretien important, et il devait se contenir pour ne pas marcher à grands pas de long en large comme il en avait l'habitude dans son bureau.

— Je tenais à te dire une chose, au sujet du papier que tu as signé. Sache qu'il n'entre pas dans mes intentions de m'en servir tout de suite.

... Je déclare que j'ai été surprise, par mon mari et ma belle-mère, Mme veuve Etamble, au domicile conjugal, 22 bis, avenue de Wagram, le...

Tout y était, la date, l'heure, le nom de son complice qu'elle avait hésité un instant à révéler. La présence des deux enfants dans l'appartement était mentionnée, ainsi que le fait qu'elle était entièrement nue.

Elle acceptait le divorce à ses torts et renonçait par avance à ses droits maternels.

— J'ai beaucoup réfléchi. Je ne te cache pas que, sans nouvelles de toi pendant plusieurs jours, j'ai été inquiet.

— Florent me l'a dit.

— C'est surtout pour être sûr qu'il ne t'était rien arrivé que je l'ai prié de téléphoner ce matin et de te demander un rendez-vous. Il paraît que tu n'as pas voulu le recevoir.

— J'attendais d'aller mieux.

— Tu as fais de la dépression nerveuse ?

— Je ne sais pas. En tout cas, ce n'est pas grave.

Il se tenait les mains derrière le dos en marchant, comme quand il dictait.

— Je crois, vois-tu, que, dans une situation comme la nôtre, il ne faut rien brusquer. Personne ne peut préjuger de l'avenir et nous ne sommes pas seuls en cause. Nous en avons parlé longuement, maman et moi.

Le front de Betty se plissait, ses pupilles se rétrécissaient. Elle écoutait avec une attention accrue.

— Je ne sais pas ce que tu en penseras. Ce n'est pas nécessairement la bonne solution. Je suppose que tu te rends compte qu'il serait difficile, dès maintenant, que tu rentres à la maison !

Elle n'en croyait pas ses oreilles.

— D'autre part, il n'est pas bon que tu restes seule. Car je suppose que tu es seule ?

— La concierge ne te l'a pas dit ?

— Si. D'ailleurs, je le pensais bien. Avec ma mère, nous nous sommes demandé si on ne pouvait pas tenter une expérience. Tu l'accompagnerais à Lyon. Rien ne l'empêche d'attendre à Paris que tu sois rétablie. Ce n'est pas à deux ou trois jours près. Tu vivrais un certain temps là-bas avec elle et si, ensuite...

Il n'achevait pas sa phrase. On le sentait gêné, mais plein de bonne volonté.

— C'est toi qui as pensé à cette solution ?

Pour Betty, c'était à la fois doux et révoltant.

Ce grand garçon de Guy, tout en arpentant la chambre, lui laissait entrevoir qu'elle pourrait retrouver sa place dans sa maison, avec ses enfants, un peu comme s'il commençait à pardonner, comme s'il promettait d'oublier.

Et c'était la générale qui y avait pensé, qui avait suggéré cette période d'épreuve rappelant le noviciat des religieuses.

Elle la prendrait sous son toit, sous sa coupe. Dans l'appartement du quai de Tilsitt, plein des souvenirs du général, elle l'observerait jour après jour, enregistrant ses progrès, comptant sans doute sur son influence.

Betty ne rit pas, ne s'indigna pas. Elle faillit même avoir la larme à l'œil.

— Tu espérais que je dirais oui ?

— Je ne sais pas.

— Tu le souhaites ?

— Je pense aux enfants, à toi.

Il avait pitié d'elle. C'était une main secourable qu'il venait lui tendre pour la repêcher.

— Je te remercie, Guy. Ton geste me touche beaucoup. Celui de ta mère aussi, tu le lui diras de ma part.

— C'est non ?

— Je crois que c'est plus sage. Pas tant pour moi que pour vous tous. Je t'avais prévenu, souviens-toi. Tu n'as pas voulu m'écouter.

D'une phrase, elle renversait les positions. C'était elle qui devenait magnanime, qui se sacrifiait et, tout en parlant, elle épiait la pendulette en pensant à ce qui se passait dans le restaurant de Mario.

Elle avait peur que son mari s'attarde et fasse tout rater par sa présence.

— Tu as eu raison de venir. Il valait mieux que nous nous quittions sur un autre souvenir.

Si Schwartz avait été ici, il aurait lancé, sarcastique :

— Et voilà que tu romances encore !

Elle n'avait pas espéré cette chance, ce rôle qu'on lui donnait à jouer, ce choix qu'on lui offrait, à elle.

— Je téléphonerai à Florent dans quelques jours. Va. N'oublie pas de remercier ta mère. Ce n'est pas ma faute, crois-le, si je t'ai fait du mal, mais je te demande quand même pardon.

Elle s'y laissait prendre elle-même et, d'ailleurs, elle était en partie sincère. Ce n'était pas une comédie cynique. Elle ne se sentait aucune attache avec Guy mais, si la vie avait été différente, ils auraient peut-être pu être heureux. Il aurait pu être heureux, lui, en tout cas. Il aurait pu l'être avec n'importe quelle femme, sauf avec elle.

Elle n'avait pas de remords, ce qui ne l'empêchait pas de le plaindre.

— Va !

— Tu es sûre ?

— Oui. Va !

Elle était prise de panique à l'idée que Mario pourrait arriver. Guy ne se rendait pas compte qu'il représentait un monde révolu dont elle s'était détachée. Elle vivait déjà ailleurs. Elle était sûre qu'une autre vie allait commencer, était déjà commencée, ou presque, mais c'était encore fragile, indéfini.

Il ramassait son chapeau en murmurant :

— Tu n'as besoin de rien ?

— De rien.

— Bonne chance, Betty.

— Merci. Toi aussi.

Il ne savait pas s'il devait lui tendre la main. Elle n'osait pas lui tendre la sienne. Comme il se dirigeait lentement vers la porte, elle prononçait encore :

— Merci.

Il ne se retournait pas. Elle entendait ses pas décroître dans le long corridor et elle se passait la main sur un front moite de sueur.

Elle buvait le restant de café refroidi, encore qu'elle ne risquât plus de s'endormir. La visite de Guy l'avait rendue plus vivante, avec, présente comme jamais, l'atmosphère du Trou, où elle était déjà par la pensée.

Elle était tentée, pour mieux se mettre dans l'ambiance, de se glisser hors des draps, d'entrer chez Laure, de chercher la bouteille qu'ils avaient débouchée tout à l'heure et de boire une grande gorgée.

Elle ne devait pas sentir l'alcool. C'était important qu'elle soit exactement comme elle était l'après-midi, quand Mario s'était avancé vers le lit sur la pointe des pieds.

Elle sonnait. Même le filtre et la tasse, sur la table, étaient de trop.

— Enlevez ça, Jules.

— Vous allez dormir ?

— Je crois.

Elle s'efforçait de se calmer, sans y parvenir. Ses nerfs vibraient d'impatience et elle avait peine à rester étendue dans son lit.

Dix heures... Dix heures et demie... On mangeait, là-bas, entre les murs rouges aux gravures anglaises... Jeanine, au bar, faisait tressaillir ses gros seins en riant et se passait les mains sur les hanches pour descendre sa ceinture... Le nègre montrait sa face à une porte, puis à une autre, comme le bon génie de la maison... Laure avait fini de manger et buvait son verre à petites gorgées en observant les visages autour d'elle et en enregistrant des bribes de conversations...

Est-ce que le docteur, honteux, se glissait dans les lavabos pour se faire une piqûre ?... Est-ce que John avait une nouvelle compagne qui attendait le moment de s'étendre sur son lit tandis qu'il la regarderait, les yeux globuleux, le verre à la main, assis dans son fauteuil où il finirait par s'endormir ?...

Elle avait peur de rater sa chance, de perdre sa place, car, dans son esprit, c'était d'ores et déjà sa place. Mario était fort, un peu brutal, un peu naïf. Dès leur premier regard, il avait été intrigué.

Il avait conduit Maria Urruti à Buenaventura pour la défendre contre sa famille et on la lui avait enlevée sous le nez. Il venait chaque jour, dans une chambre paisible du Carlton, bavarder avec la veuve d'un professeur lyonnais et lui donner, avant de partir, le plaisir dont elle avait besoin comme Bernard avait besoin de sa drogue.

Il avait connu d'autres femmes, de toutes sortes, sans doute, mais il n'en avait pas encore connu comme Betty.

Betty savait qu'elle était, elle, toutes les femmes à la fois. Il le soupçonnait déjà. Il avait reçu son message muet et y avait répondu.

Pourquoi n'était-il pas encore là ? Etait-ce Laure qui le retenait ? Soupçonnait-elle que, presque en sa présence, ils s'étaient donné rendez-vous ?

Les autres soirs, il allait de table en table et il lui arrivait de sauter dans sa voiture pour reconduire un client, un tordu mal en point, comme le docteur.

Il trouverait bien une excuse. Il n'en avait pas besoin. Il n'appartenait pas à Laure.

Il ne se doutait pas que, pour lui, Betty venait

de refuser de retourner avenue de Wagram. En passant par Lyon, certes, comme à l'essai.

Et elle avait chargé Guy de remercier sa belle-mère !

Or, ce n'était pas de la bonté. Betty pouvait même reconstituer le cheminement de la pensée de la générale. Maintenant qu'elle n'était plus dans l'ambiance, elle n'était plus tentée de s'émouvoir, mais de se révolter.

Même pas ! Non ! Au Trou, il n'était pas question de révolte. Ce stade-là était dépassé. Il n'y existait pas non plus de possibilité de retour.

C'était un terminus.

Le terminus des tordus ! Dernier arrêt avant l'asile ou la morgue !

Elle s'était trompée en se figurant que, pour elle, l'heure de l'asile ou de la morgue était arrivée. Elle ignorait alors qu'il lui restait le Trou, qu'il lui restait Mario. Elle avait envie de vivre. Elle était anxieuse de vivre.

Elle regardait l'heure avec angoisse, n'ignorant pas que ce serait cette nuit ou jamais. Elle ne voulait pas rater l'occasion. Elle retrouvait une prière.

— Mon Dieu ! Faites qu'il vienne.

Et, le corps douloureux à force d'impatience :

— Faites qu'il vienne vite !

Elle n'ajoutait pas :

— Et faites que je réussisse.

S'il venait, elle en était sûre. Elle en avait trop

envie. Elle en avait trop faim. C'était déchirant de rester dans l'incertitude et de n'avoir pas le droit de bouger.

Il valait mieux qu'elle n'ait pas à se lever pour aller ouvrir, elle y pensait tout à coup. Il fallait qu'il entre de lui-même, avec l'impression de lui faire une surprise, un don, et qu'il la trouve étendue dans la demi-obscurité.

Pieds nus, elle se dépêchait d'aller débloquer la porte du couloir, espérant que le garçon de nuit, ou la femme de chambre, n'allait pas la refermer en passant.

Au lieu de la lampe de chevet, qui l'éclairait trop, elle allumait celle, faible et lointaine, de la coiffeuse.

Onze heures et demie... Elle se tordait les bras d'inquiétude...

— Mon Dieu ! Faites, je vous en supplie, que...

Elle était tentée de faire une promesse, un vœu, en échange. Elle ne savait qu'offrir et elle avait peur que cela se retourne contre elle.

Qu'on lui donne seulement cette chance-ci, la dernière. Etait-ce trop demander pour prix de tous ses efforts ?

Elle avait fermé les yeux. Ses pensées faisaient un vacarme dans sa tête et voilà qu'elle hurlait, d'une voix sortie du plus profond de sa gorge :

— Mario !

Il était là, entre la porte et le lit, marchant sur la pointe des pieds comme tout à l'heure et, malicieusement, il posait un doigt sur ses lèvres.

Il avait compris le message. Il était venu. Il s'asseyait au bord du lit et, lui tenant les épaules à bras tendus, la regardait longuement avant de se courber pour coller sa joue à la sienne.

— Tu es venu ! disait-elle, riant et pleurant à la fois.

Et lui disait, en frottant sa joue à sa joue comme un animal se frotte à un autre animal :

— Tu es là !

8

ON tournait le bouton de la porte de communication. On essayait d'ouvrir. Betty espérait que Mario n'entendait pas, car elle n'était pas encore assez sûre.

Laure, à côté, n'insistait pas et la sonnerie vibrait bientôt au fond du corridor. Elle appelait le garçon, ou la femme de chambre. Il y avait des pas, un murmure.

— Tu as peur ? questionnait Mario, les yeux près des siens.

Elle hésitait, consciente de jouer le tout pour le tout, et, s'efforçant de sourire, répondait :

— Non.

Il la serrait plus fort contre lui et tous les deux cessaient de tendre l'oreille. Ce n'est que beaucoup plus tard qu'il murmura :

— Il faut que je passe au Trou.

— Je vais avec toi.

— Tu n'en as pas le droit. Le médecin a dit...

— Le médecin ne sait pas ce que c'est qu'une femme.

Elle se précipitait vers la commode, vers l'armoire.

— Tu veux que je porte une robe au lieu de mon tailleur, pour changer ? Tu ne m'as pas encore vue en robe.

En arrivant, elle aurait besoin d'un verre, car la tête lui tournait.

Elle ne s'en habillait pas moins très vite, l'entraînait dehors. Dédaignant l'ascenseur, ils descendaient l'escalier la main dans la main, comme si c'était l'escalier de la mairie ou de l'église.

— Je ne me suis jamais sentie aussi gaie de ma vie. Et toi ?

— Je suis heureux.

Ce n'était pas encore tout à fait vrai. Il devait encore penser à la chambre 55, là-haut, et à la femme de quarante-huit ans qui s'y retrouvait seule.

— Où est-ce que tu habites ? demandait Betty.

— Au-dessus de la boîte. C'est une ancienne ferme. Le premier étage est mansardé.

Le concierge de nuit la regardait passer avec stupeur.

Elle vivait ! Elle en était sortie ! Elle avait trouvé une issue !

Déjà, elle prenait possession de l'auto, dont elle reniflait l'odeur.

— Je ne veux pas de whisky, ce soir, mais du champagne. N'aie pas peur. Je ne boirai pas trop.

L'auto fonçait. Le concierge et le portier échangeaient un coup d'œil. La sonnerie retentissait sur le comptoir du concierge.

— Oui, Mme Lavancher... Ils viennent de partir, oui... Ils ne m'ont pas parlé... Vous dites ?... Comment ?... A cette heure-ci ?... Mais ce n'est pas possible... Bien entendu, si vous le désirez... Tout de suite, Mme Lavancher...

Tête basse, il allait rejoindre le portier.

— Il faut que tu montes avec moi pour prendre les bagages du 55.

— Elle s'en va ?

— Il paraît. Je crois que je comprends ce qui se passe. C'est cette petite garce qu'elle nous a amenée l'autre nuit qui...

A quoi bon expliquer ? Le portier avait vu, lui aussi.

— Tu ferais mieux d'avancer d'abord sa voiture.

L'employé de la réception sortait, somnolent, d'un petit bureau où il s'étendait aux heures creuses.

— Qu'est-ce que c'est ?

— Un départ. Le 55.

— Mme Lavancher ?

— Oui.

— Je dois préparer sa note ?

— Elle n'en a pas parlé.

Le réceptionnaire, embarrassé, regardait les deux hommes pénétrer dans l'ascenseur et se mettait à chercher machinalement le dossier du 55.

Il fallut faire le trajet deux fois et on entendait dehors s'ouvrir et se refermer le coffre, puis les portières.

— Tu n'as pas un bout de corde ?

— Il y en a dans la camionnette du chef.

Tant pis pour le chef. On arrangerait ça avec lui le lendemain matin.

Des valises étaient fixées sur le toit. Laure descendait l'escalier, la démarche un peu raide.

— Vous direz à M. Raymond de m'envoyer ma note à Lyon.

C'était le directeur.

— Bien, Mme Lavancher. J'espère que vous comptez revenir ?

Elle le regardait sans répondre, lui serrait la main.

— Au revoir, François.

Elle les connaissait tous et les appelait par leur prénom. Le long hall était désert, éclairé seulement de quelques lampes et, tout au fond, derrière une porte vitrée, la salle à manger était obscure.

— Au revoir, Charles. Au revoir, Joseph.

Ils ne trouvaient pas de mots à lui dire. Elle entrait dans l'auto, prenait le temps d'allumer une cigarette, mettait le moteur en marche cependant que le portier hésitait encore à refermer la voiture.

— Vous prenez la nationale 7 ?

Il lui sembla que, dans l'obscurité, elle lui souriait. La portière claqua. Les graviers crissèrent sous les pneus de l'auto qui, franchissant la grille, disparut dans la nuit.

***

Ce n'est qu'une semaine plus tard, en parcourant le *Progrès de Lyon,* que la générale Etamble apprit qu'une de ses voisines venait d'être trouvée morte dans son appartement. Elle dit, sans émotion, à l'amie qui prenait le thé avec elle :

— Vous savez que Mme Lavancher est morte ?

— La veuve du professeur ?

— Elle a été trouvée morte ce matin, dans son lit, par sa femme de ménage.

— Je croyais qu'elle avait quitté Lyon depuis longtemps. Est-ce qu'elle ne vivait pas à Paris ?

— A Versailles, mais elle avait gardé son appartement ici et elle y revenait de temps en temps.

— Qu'a-t-elle eu ?

— Le journal ne le dit pas.

— Elle n'était pourtant pas âgée.

— Quarante-neuf ans.

Un souvenir revenait à Mme Etamble. C'était à Versailles que Guy s'était rendu pour avoir un entretien avec sa femme. Celle-ci, si elle avait été dans son bon sens, n'aurait-elle pas dû sauter sur l'occasion qu'on lui offrait ?

Cela valait mieux ainsi pour tout le monde, surtout pour Guy, qui était encore jeune, pour Antoine et pour sa femme aussi, qui ne se seraient plus sentis chez eux, le soir, au troisième étage.

— Je la rencontrais de temps en temps, autrefois. C'était une grande femme toujours assez pâle, mais je ne la croyais pas malade.

Comment la générale aurait-elle pu deviner que Laure Lavancher, en définitive, était morte à la place de Betty ?

C'était l'une ou l'autre.

Betty avait gagné.

FIN

Noland, le 12 octobre 1960.

OUVRAGES DE GEORGES SIMENON

AUX PRESSES DE LA CITÉ (suite)

« TRIO »

I. — La neige était sale — Le destin des Malou — Au bout du rouleau
II. — Trois chambres à Manhattan — Lettre à mon juge — Tante Jeanne
III. — Une vie comme neuve — Le temps d'Anaïs — La fuite de Monsieur Monde
IV. — Un nouveau dans la ville — Le passager clandestin — La fenêtre des Rouet
V. — Pedigree
VI. — Marie qui louche — Les fantômes du chapelier — Les quatre jours du pauvre homme
VII. — Les frères Rico — La jument perdue — Le fond de la bouteille
VIII. — L'enterrement de M. Bouvet — Le grand Bob — Antoine et Julie

PRESSES POCKET

Monsieur Gallet, décédé
Le pendu de Saint-Pholien
Le charretier de la Providence
Le chien jaune
Pietr-le-Letton
La nuit du carrefour
Un crime en Hollande
Au rendez-vous des Terre-Neuvas
La tête d'un homme
La danseuse du gai moulin
Le relais d'Alsace
La guinguette à deux sous
L'ombre chinoise
Chez les Flamands
L'affaire Saint-Fiacre
Maigret
Le fou de Bergerac
Le port des brumes
Le passager du « Polarlys »
Liberty Bar
Les 13 coupables
Les 13 énigmes
Les 13 mystères
Les fiançailles de M. Hire
Le coup de lune
La maison du canal
L'écluse nº 1
Les gens d'en face
L'âne rouge
Le haut mal
L'homme de Londres

★

A LA N.R.F.

Les Pitard
L'homme qui regardait passer les trains
Le bourgmestre de Furnes
Le petit docteur
Maigret revient
La vérité sur Bébé Donge
Les dossiers de l'Agence O
Le bateau d'Émile
Signé Picpus
Les nouvelles enquêtes de Maigret
Les sept minutes
Le cercle des Mahé
Le bilan Malétras

ÉDITION COLLECTIVE SOUS COUVERTURE VERTE

I. — La veuve Couderc — Les demoiselles de Concarneau — Le coup de vague — Le fils Cardinaud
II. — L'Outlaw — Cour d'assises — Il pleut, bergère... — Bergelon
III. — Les clients d'Avrenos — Quartier nègre — 45° à l'ombre
IV. — Le voyageur de la Toussaint — L'assassin — Malempin
V. — Long cours — L'évadé
VI. — Chez Krull — Le suspect — Faubourg
VII. — L'aîné des Ferchaux — Les trois crimes de mes amis
VIII. — Le blanc à lunettes — La maison des sept jeunes filles — Oncle Charles s'est enfermé
IX. — Ceux de la soif — Le cheval blanc — Les inconnus dans la maison
X. — Les noces de Poitiers — Le rapport du gendarme G. 7
XI. — Chemin sans issue — Les rescapés du « Télémaque » — Touristes de bananes
XII. — Les sœurs Lacroix — La mauvaise étoile — Les suicidés
XIII. — Le locataire — Monsieur La Souris — La Marie du Port
XIV. — Le testament Donadieu — Le châle de Marie Dudon — Le clan des Ostendais

SÉRIE POURPRE

Le voyageur de la Toussaint
La maison du canal
La Marie du port

ACHEVÉ D'IMPRIMER LE
23 NOVEMBRE 1977 SUR LES
PRESSES DE L'IMPRIMERIE
BUSSIÈRE, SAINT-AMAND (CHER)

— N° d'édit. 1116. — N° d'imp. 1593. —
Dépôt légal : 4e trimestre 1977.

Imprimé en France